Сонечка

Людмила Улицкая

ソーネチカ

リュドミラ・ウリツカヤ
沼野恭子 訳

CREST BOOKS
Shinchosha

ソーネチカ

SONECHKA
by
Ludmila Ulitskaya

First Japanese edition published in 2002 by Shinchosha Company
Japanese translation rights arranged with Ludmila Ulitskaya
through Japan UNI Agency, Inc., Tokyo.

Illustration by Tatsuro Kiuchi
Design by Shinchosha Book Design Division

赤ちゃんなのか子供なのかわからないような幼いときから、ソーネチカは本の虫だった。気の利いたことを家族にいうのが得意な兄のエフレムは、いつもお決まりの冗談をくりかえしたものだ（もっとも、兄が初めて口にしたときにはもう使い古しといった感じだったけれど）。

「本ばかり読んでるから、ソーネチカのお尻は椅子みたい、鼻は梨みたいになっちゃったんだ」

あいにくこの冗談はさほど大袈裟ともいえなかった。なにしろソーネチカの鼻はほんとうに梨みたいな団子鼻だったし、体つきも、ひょろひょろでいかり肩、足はガリガリ、お尻はすわりすぎてみっともない形だったのだから。たったひとつ自慢できるところといったら女らしい大きなバストだったが、これはこれで早熟すぎて、痩せこけた体にはなんともそぐわない。ソーネチカがだぶだぶの上着を着て、なるべく肩を落とし背中を丸めていたのは、体の前側は豊かでも無用の長物だし、後ろ側は扁平でみすぼらしくて、気恥ずかしかったからだ。

姉は、とっくに嫁いでいたが、思いやりのある人だったので、「ソーネチカは目がきれいね」などと鷹揚なことを言っていた。でも、その目にしたところで、ごくありきたりの小さな茶色の目にすぎなかった。たしかに、まつ毛はめったにないほどびっしり、三重に生えていて、そのせいで腫れぼったい瞼が垂れさがるほどだったけれど、それだってとくに「きれい」というわけではなく、目が悪くて小さいころからメガネをかけている身からすれば、むしろ邪魔なくらいだった……。

七歳のときから二七歳になるまで、まる二〇年間というもの、ソーネチカはほぼのべつまくなしに読書してきた。まるで、ふっと気を失うときのように、ふっと本の世界にはいりこむと、最後のページを読みおわるまでずっとその状態から抜けられなかった。

ものを読む才能が人並みはずれている、というか、ある意味で天才的だったのだろうか。書物に対してあまりに鋭く感受性がはたらくので、架空の主人公が実在の親しい人と同等に思え、たとえば、死んでいくアンドレイ公爵の枕元で気高くもナターシャ・ロストワが苦しみにたえている場面と、愚かな不注意で四歳の娘をなくした姉が嘆いている痛々しい姿とが、どちらも等しく真にせまって感じられるのだった（姉は、近所の人とおしゃべりをしていて、のろまでぽっちゃりして動作のにぶい娘が井戸にすべり落ちたのに気づかなかった……）。

これはいったいどういうことなのだろう――どんな芸術も「遊び」で成りたっているということがてんでわかっていないのか、大人になりきれず子供みたいにやたらと人を信じこんでしまうのか、想像力が欠けていて虚構と現実の境をとりはらってしまうのか、それとも逆に、我を忘れて幻想の世界にのめりこみ、それ以外のことは意味も内容もなくなってしまうということなのか……。

しだいにソーネチカの読書は軽い狂気の様相を帯びてきて、眠っている間もそっとしておいてくれなくなった。夢まで、「見る」というより「読む」といったほうがいいような按配なのである。心躍るような歴史小説を夢に見ることがあったが、物語の進み具合から本の字体を思い浮かべることができたし、不思議なことに段落や点線まで実感できた。こうした病的なほどの読書熱が高じて心に現実とのずれが生じると、そのずれは夢のなかでますます大きくなっていき、そこでみずから正真正銘のヒロインかヒーローを演じるソーネチカは、作者の意向はわかっていてはっきり感じとっていながら、その意向と、こう動きたい、行動したい、ふるまいたいという自分自身の気持ちとのあいだの微妙な境界線上に身をおいているのだった……。

自由経済を取りいれたレーニンの新経済政策《ネツプ》の勢いが、一九二〇年代の終わるころ、弱まってきた。父は、生まれながらの機械工だったが（先祖はベラルーシの大きな村落で鍛冶屋をしていた）、世情にさとい現実的なところもあったので、持っていた時計修理所をさっさとたたむと、どんなものでも流れ作業でものを作るなどもってのほかだとほんらい思っていたのだが、我慢して時計工場にはいった。もっとも、今さら一徹な性格が変わるはずもなかったので、さまざまな民族の先達たちのすぐれた腕前が生みだしたユニークな機械《メカ》を、仕事が引けてから修理することで、なんとか気をまぎらしていた。

母は、清潔な黄緑色のネッカチーフの下に、間の抜けたカツラを死ぬまでつけていた人だが、よくシンガーミシンでこっそり縫い物をしては、貧しく仰々《ぎょうぎょう》しかったあの時代にいかにもふさわしい、何の飾り気もない更紗の洋服を、近所の女たちに作っていたので、母にとって当時の恐怖といえば、ただもうひたすら税務監督官のふるえあがりそうな名前のことを意味した。

さてソーネチカは、どうにかこうにか学業をこなすと、ときはスターリンの一九三〇年代、この熱狂的でけたたましい時代を生きなければならなかったにもかかわらず、毎日毎晩たえずそうした喧騒をうまく逃れては「偉大なロシア文学」という自由な空間に心をときはなち、猜疑心の強いドストエフスキーの不気味な奈落の底に沈んだかと思うと、木立が影を投げかけているツルゲーネフの並木道に浮かびあがったり、なぜだか二流作家だと思われているレスコフの、無節操で惜しみない愛に輝く田舎の屋敷にひょっこり姿をあらわしたりしていた。

やがて図書館専門学校を卒業して、古い図書館の地下にある書庫で働きはじめ、稀に見る幸せ者になった。次から次へと目録カードを作らなければならず、上の階の読書室からは白っぽい図書請求用紙がまわされてくるうえ、細い腕にずしりとのしかかる蔵本の重さといったらなかったが、そのどれもが楽しくてしかたなかった。たいてい、どの仕事も一日ではとてもこなしきれないうちに終業時間になってしまうので、楽しみを途中で断ち切られ、かすかに痛む心を抱えて、埃っぽく息苦しい地下室をあとにすることになる。

ソーネチカは長いこと、作家の仕事というのはおしなべて神聖な儀式を執りおこなうようなものだと考えていて、パヴロフのような二流作家のことを、ある意味で、パウサーニアースやパラマスとならぶ立派な作家なのだろうと思っていた――それというのも、この三人が、百科事典の同じページに載っていたからなのだが、何年かすると、彼女も、広大な本の海をさまよいながら、大波と小波とを見分けるコツ、さらには小波と岸辺に浮かぶ泡とを見分けるコツを、自分なりに身につけていった。ソ連の現代文学の書棚はだいたいどれもこれも禁欲的《ストイック》で、そこにおさめられているのは泡ばかりだということもわかってきた。

こうして修道女よろしく無我夢中で数年間書庫で働いたソーネチカは、自分と同類の本好きな女性上司にくどかれて大学のロシア文学科を受験することになり、それからは、馬鹿げた受験勉強に精を出したが、やがて折も折、もう今日明日にも試験を受けるという段になって、ふいにすべてがおじゃんになり、たちまちのうちに何もかも様子が一変してしまった。一九四一年、第二次世界大戦がはじまったのである。

青春時代をしじゅう本ばかり読んで過ごしたソーネチカにとって、それは、ぼんやりと霧のかかったような状態から飛びだす、生まれてはじめての事件だったといえるかもしれない。当時、工具修理所で働いていた父にしたがってウラル地方の工業都市スヴェルドロフスクに疎開すると、その地でソーネチカはまもなく、自分が心安らかに生きていける唯一の場所を見つけた――図書館の、しかも地下にある書庫である……。

いったいぜんたい、まるで果物を冷暗所にしまっておくかのように、貴重な精神の果実をかならず冷たい地下室に入れてしまうというのは、これは昔からわが国に根をおろしている伝統なのだろうか。それとも、これはソーネチカの今後十数年間のための予防注射のようなものだったのだろうか。というのも、彼女は、文字どおり「地下」活動をしていた人を未来の夫とし、これから十数年の歳月をともに過ごすことになるからだ。それはさておき、未来の夫があらわれたのは、ソーネチカ親子が疎開をはじめた年で、一寸先は闇といった辛い状況にあったときだった。

ロベルト・ヴィクトロヴィチが図書館にやってきたその日は、図書貸出し係の主任が病気になったのでソーネチカが代わりをつとめていた。背が低く、ひどく痩せていて、灰色っぽい白髪だった。フランス語の本のカタログはどこに置いてあるのかと尋ねられなければ、とくに注意を払うこともなかっただろう。フランス語の書籍は、あるにはあるのだけれど、カタログのほうは、だれにも必要とされないので、もうだいぶ前からどこにいったかわからなくなっていた。もうすぐ閉館になるという遅い時間で、館内には他にだれもいなかったので、ソーネチカはこの風変わりな来訪者を、自分の持ち場、地下の奥まったところにある西欧図書コーナーに案内した。

首をかしげ、まるでケーキの載った皿を目にした子供みたいに物欲しげな、驚いたような顔をして、ロベルト・ヴィクトロヴィチは書棚の前に長いこと我を忘れて立ちつくしていた。そのうしろに立つと、ソーネチカのほうが頭半分だけ背が高かったが、男の興奮がありありと伝わってきて、ソーネチカまでその場を動けなくなってしまった。

男は振り向くと、ソーネチカのか細い手の甲にいきなりキスをして、言った――その声は低くて、ゆらめきに満ちていて、まるで子供のころ風邪で寝こんだときに見た青いランプの光のようだった。

「まったく驚いた……。なんてすごいんだ……。モンテーニュ……。パスカル……」そして、ソーネチカの手を握ったまま、ため息まじりに言い添えた。「それにエルゼビア版まであるなんて……」

「エルゼビア版は九冊あります」書誌学に通じているソーネチカは、感激して、誇らしげにうなずいた。ロベルト・ヴィクトロヴィチは不思議そうな目で彼女を下から見上げたが、それがまるで上から見おろしているような感じで、薄い唇に笑みを浮かべ、あちこち歯の抜けたところを見せてから、何か大事なことを言いたげにしばらくためらっていたが、思いなおして別のことを口にした。

「読者カードを作ってくれませんか。読者カードっていうのかな、それとも、ここでは何ていってるんですか」

ソーネチカは、相手の骨ばった両手のなかに置き去りになっている自分の手をひっこめ、ふたりして階段をのぼったが、それは、獰猛とでも言いたくなるほど冷たい階段で、触れたが最後、だれの足であろうとどんなわずかなぬくもりであろうと奪ってやろうとしているみたいだった……。もとは商人の持ち家だったという古びた邸の狭いホールにはいり、ここでソーネチカは、はじめて手ずから彼の苗字を書いた。ついさっきまで赤の他人だった苗字、そしてきっかり二週間後には自分のものになるはずの苗字を。でも、まだ今のところ彼女は、つぎのあたったウールの手袋をはめた手で水性ペンをくるくる回しながら下手な字を書いているところだし、彼のほうは、相手の美しい額を眺めながら、若いラクダみたいだ、あの辛抱強くてやさしい動物におかしなほどそっくりだ、と内心ほほえましく思い、「それに色合いまで同じときてる。浅黒くて、哀しげなこげ茶色にうすいバラ色、暖かい色……」と考えている。

ソーネチカは男の名前を書きおえ、ずり落ちたメガネを人差し指であげた。好意的で、気のなさそうな、じれったそうな目で見ているのは、男がなかなか住所を書きとらせてくれないからだろう。

当のロベルト・ヴィクトロヴィチはといえば、穏やかに澄んでいた空が一転して急に土砂降りの雨が降りだしたときのように、とつぜん、今こそ運命を決すべきときではないかという強烈な感覚に襲われて、ひどくうろたえていた。目の前にいるのは妻となるべき人だ、ということがわかったからだ。

その前の日に、四七歳になっていた。じつは、彼は「伝説の人」だったのだが、一九三〇年代のはじめに、ふらりと、友人たちの考えるところではこれといった動機もなくフランスからロシアに帰国したため、伝説が本人から切り離されて独り歩きをはじめ、やがてナチス占領下のパリで息もたえだえになっていた画廊をいくつも、伝説ばかりが奇妙な作品とともにまわることになった。その作品群は当初さんざん非難され、そのうち忘れ去られ、やがてよみがえり、死んでから画家その人に名声をもたらすことになるが、本人は、一切そんなことは知るよしもない。穴だらけの黒い綿入れ上着を着て、喉仏の突きだした首にグレーのタオルを巻いたロベルト・ヴィクトロヴィチは、帰国後むなしく五年の刑期をつとめたのだが、なにはともあれ、今は保護観察のもと、工場の管理部で工業アーティストとして働いているのだから、人生の辛酸をなめた者のなかではものすごく運のいいほうだろう。そして今、不器量な女の子を前にしてほほえんでいるわけだが、またまた今度も自分の信条を裏切ることになりそうだということが自分でわかっていた。変わり身が早く、これまでもさまざまな裏切りを重ねてきたのである。祖先の信仰も、両親の期待も、教師の愛も裏切り、学問も裏切ったうえ、自分の自由を制限する足枷になると感じるや友情もきっぱりと無下に絶った……。そして、若気の至りで見せかけばかりの成功に酔っていたとき、一生結婚なんかするもんかと固く心に決めたはずだったのに、またしてもその誓いも破ることになるようだ。もっとも、結婚しないと誓っていたとはいえ、それは女性を敬遠して禁欲生活を送るという意味ではぜんぜんなかった。

それどころか、女たらしで、次々と相手を代え、女というこの涸れることなき泉からたっぷり滋養を摂っていたが、相手に縛られたり頼られたりしないようつねに用心し、自分自身が女性の滋養にならないよう警戒をおこたらなかった。女の本性とはじつに逆説的で、奪っていこうとする者には気前よく与えるくせに、与えようとする者からは残酷なまでにとことん奪おうとするものである。

いっぽうソーネチカの穏やかな心は、それまでに読んだ何千冊という書物でできた繭にしっかりくるまれていて、煙のようにもやもやとしたギリシャ神話の響きや、眠気を誘うような、それでいて冴えたような中世の笛の音や、風と霧のたちこめるイプセンの憂愁や、あまりに細部にこだわるバルザックの退屈や、ダンテの宇宙的な音楽や、リルケやノヴァリスの海の精《セイレーン》のシャープな美声といった子守唄を聞いてとろけていたし、すぐれたロシア作家たちの、教訓的で、ひたむきに天空の中心を志向する絶望的なところにすっかりのぼせあがってもいた——そういうわけで、ソーネチカの穏やかな心は、自分自身の身に千載一遇の好機が訪れていることに気がつかず、そのとき考えていたことといったら、わたしには蔵書を閲覧室に持ちだす権限しかないのに、この人に本を渡してしまって、まずいことをしているんじゃないかしら、ということだけだった……。

「住所を」ソーネチカはおずおずと促した。

「じつはね、ここには一時的に派遣されてるだけで。工場の管理部で寝起きしてるんです」風変わりな男はそう説明した。

「それじゃ身分証明書と住民登録証を見せてください」

ロベルト・ヴィクトロヴィチはポケットの奥深くをひっかきまわして、しわくちゃの身分証を取りだした。ソーネチカはメガネ越しに長いこと眺めていたが、やがて首を横にふった。

「だめですね。お貸しできません。州に登録されているのでは……」

女神キベーラが赤い舌を出してみせた。万事休すか、と彼は思い、書類をポケットの奥深くにしまった。

「じゃ、こうしましょう。わたしが自分の貸出しカードで借りますから、ここを発つ前にわたしに返しに来てくれませんか」ソーネチカは申し訳なさそうな声で言った。

よかった、大丈夫だ、と彼は胸をなでおろした。

「でもどうか取り扱いには気をつけてくださいね」彼女はやさしくそう言い、くしゃくしゃの新聞紙で小型の三巻本を包んでやった。

ロベルト・ヴィクトロヴィチはそっけなく礼を言って、図書館を後にした。これからどうやって付き合っていこうか、ちやほやするのは億劫だ、などと彼が面倒くさそうに考えこんでいるあいだ、ソーネチカは長い一日だった今日の仕事のあとかたづけをゆっくりしてから、帰り支度をはじめた。深い考えもなく見知らぬ男に貸してしまった高価な本三冊が無事に返ってくるかどうかなど、もうこれっぽっちも気にかけていない。寒くて暗い街を抜けてうちに帰ることばかり考えていた。

＊

女性特有の目というのは、未来を見通すといわれる第三の「神秘の瞳」と同じく、きわめて早い少女のころに開かれるものだが、ソーネチカの場合だって、閉じっぱなしで開かなかったわけではない——いってみれば、細く半開きになっていた。

年端もゆかぬ一三歳のころといえば、古来より乙女を嫁にやる年頃ときまっているけれど、あたかもユダヤ民族のこの昔ながらの慣わしにしたがうかのように、ソーネチカは一三のときに、獅子鼻の愛らしい同級生ヴィーチカ・スターロスチンに恋をした。恋心はもっぱら、なにがなんでもヴィーチカを見つめていたいという一途な思いとなってあらわれたため、彼女の視線がヴィーチカの姿を探してさまよっていることは、たちまちのうちに、人形のような愛らしい顔の持ち主当人だけでなく、他の同級生全員の知るところとなった。しかも同級生たちは、ソーネチカが自分の視線を自覚するより先に、この面白いアトラクションに気づいてしまった。

ソーネチカはなんとか自分を抑えようと努力し、目をやる別の対象を見つけようとしたが（長方形の黒板だろうと、ノートだろうと、埃っぽい窓だろうと、なんでもよかった）、視線はどうしても、磁石の針みたいに、亜麻色の頭のほうへとひとりでに振りもどり、冷たくて魅力的な青い目と出会わないかと、しじゅう追い求めてしまう……。心やさしい友達のゾーヤにまで、そんなにじっと見つめないほうがいいわよ、と小声で注意されたくらいだ。でも、どうすることもできなかった。亜麻色の髪という「糧」を、目がむさぼりたがり、しきりに欲していたからである。

事は、ひじょうに痛ましく忘れがたい結末をむかえた。オネーギンさながら残酷なヴィーチカは、恋するまなざしの重圧にたえられず、自分を慕う寡黙なソーネチカを辻公園の脇の並木道に誘いだすと、茂みにひそんでいた同級生四人に煽りたてられるままに、二度も彼女を殴ったのである。たいして痛くはなかったにしろ、ソーネチカはどうしようもないほど傷ついてしまった。もしその後に起こった戦争の最初の冬に、この四人の密偵たちが一人残らず死んでしまわなかったら、彼らの粗暴な心を弾劾してやりたいところだ。

いっぽう、一三歳の「騎士」のふるまいはためになる教訓となったが、その教訓でいやというほど思い知らされた少女は、ついに病気になってしまった。高熱にうかされ、二週間も寝こんだ。おそらく、こういう古典的な手立てで恋の炎を消すしかなかったのだろう。体調がもとに戻ると、またひどい仕打ちを受けるのだろうと覚悟して学校に行ったが、学校一の美人ニーナ・ボリーソワが夜間授業の終わったあと教室で首を縊って自殺したため、ソーネチカの悲喜劇はすっかり影をひそめることになった。

冷酷なヒーローのヴィーチカは、幸い、この間に両親と別の町に引っ越していき、以後ソーネチカは、女としての自分の人生はすっかり終わった、という苦い思いを抱いて生きていくことになるのだが、そう割り切ってしまえば、もう一生、だれかに気に入られたいとか、だれかを惹きつけようとか、虜にしようなどと思い悩むこともない。同い年の女の子たちが運良く恋人を作っても、「うまくいかなければいいのに」なんて嫉妬することもなければ、いらいらして神経をすり減らすこともなく、結局は、また本が読みたくてたまらなくなり、読書に心奪われることになった。

……ロベルト・ヴィクトロヴィチは二日してからまたやってきたが、ソーネチカがこの日はもう貸出し係をしていなかったので、呼びだしてもらった。ソーネチカは、一段、二段、三段と、しだいに姿を大きくしながら地下の暗い穴倉からあがってきて、近視の目でじっと相手の顔を見てようやくロベルト・ヴィクトロヴィチだとわかると、よく知っている人にするようにうなずいて見せた。

「ちょっとここにすわってください」彼は椅子を引き寄せた。

小さな閲覧室には、着ぶくれした利用者が数人いた。閲覧室は寒かった――暖房があまりきいていないのだ。

ソーネチカは椅子の端に腰かけた。布製の防寒帽が、右の耳覆いはあっち、左の耳覆いはこっち、うしろの垂れはそっち、といった具合にテーブルのすみに広げて置いてあり、そのそばで男が、いかにも丁寧に、ゆっくりと包みをほどいている。

「せんだって聞き忘れてしまったんですが」光を放つような声で男が言った。その「せんだって」という素敵な言葉を耳にして、ソーネチカは思わずほほえんだ。この言葉がよく使われる日常語でなくなってからもう久しい。

「お名前を聞き忘れてしまった。聞いてもいいですか」

「ソーニャです」彼女は短く答え、包みを広げようとしている相手の手元を見守った。

「ソーニャ。ソーネチカか……。わかりました」あたかも、その名前でよいと承諾したみたいな言い方だった。

ようやく包んであったものがほどかれると、ソーネチカが目にしたのは、繊維が粗くて今にも破れそうな紙に、あわい茶色のセピア絵の具で描かれている、女性のポートレートだった。すばらしい肖像画で、女性の顔立ちは気高く上品で、今世紀のものではないように見える。それはソーネチカの顔だった。彼女は少し空気を吸ってみた――すると冷たい海の匂いがした。

「これはぼくの結婚プレゼントです」とロベルト・ヴィクトロヴィチが言った。「じつは、結婚を申しこみに来たんです」そして何かを待ちうけるかのように、じっとソーネチカを見つめた。

そのときになってはじめて、ソーネチカは相手をはっきり意識して眺めた。まっすぐのびた眉、細く筋のとおった鼻、横一文字の薄い唇、頰にきざまれた縦皺、生気のない目は知的で暗い……。

彼女は唇を震わせ、何も言わずに目を伏せた。もう一度、相手の顔を覗きこみたかったのだが（とてもチャーミングで含蓄のある顔だったから）、ヴィーチカの影が背後でちらついたので、紙に描かれている軽やかで流れるような線にじっと目を凝らしていると、その絵は急に女性の顔には見えなくなり、ましてやソーネチカの顔ではなくなっている。やっと聞きとれるくらいの小さな、それでいて冷たく払いのけるような声で彼女は言った。

「それ、冗談なんですか」

このときになってロベルト・ヴィクトロヴィチはたじろいだ。だいぶ前から、もう将来の設計などまったくしなくなっている。こんな気の滅入るような、地獄の入り口のようなところに流れついたのも巡りあわせなら、生への動物的な執着もほとんど消えうせ、この世の人生のたそがれになどとうに魅力を感じなくなっていたはずなのに、それが今ごろになって、まぎれもなく内側から光り輝いている女性に出会い、この人こそ妻にするべき人だ、疲れはててなお地上にしがみついている自分の人生を華奢な手で支えてくれる人だと思いいたり、同時に、これまで家族というものに煩わされたことがなく、父親としての責任も家庭人としての義務も避けて、臆病ながら剛毅に生きてきた彼は、この女がゆくゆくは自分の双肩にかかる心地よい重荷になるだろうということまで想像している……。それにしても、どう思っていたのだろう……なぜもっと早く頭に浮かばなかったのだろう……ソーネチカが他の男のものかもしれない、若い中尉とか、あるいはつぎはぎだらけのセーターを着たエンジニアのものかもしれないと。

女神キベーラが、先のとがった赤い舌を出してまた彼をからかい、下品でいやらしい女たちが（でも一人残らず彼の知り合いだ）陽気なキベーラ軍団となって、赤黒い照り返しのなかで顔をしかめてみせた。

ロベルト・ヴィクトロヴィチはしゃがれ声でわざとらしく笑うと、ソーネチカのほうに紙を押しやって言った。

「冗談を言ってるわけじゃありません。ただ、あなたが結婚しているかもしれないなんて、夢にも思わなかったもので」

彼は立ちあがり、世にも妙ちきりんな帽子を手にとった。

「失礼しました」

そして、刈りあげた頭をさげて昔の将校のように深々とお辞儀をすると、出口のほうに歩きだした。そのときソーネチカがその後ろ姿にむかってさけんだ。

「待ってください！　ちがいます！　ちがうんです！　わたし、結婚なんかしてません！」

閲覧机にすわって新聞の綴じこみファイルを見ていた老人が、迷惑そうにソーネチカのほうを見やった。ロベルト・ヴィクトロヴィチはふりむいて、一文字の唇でにっこり笑ったものの、この女を手に入れそこなうんじゃないかと思って途方にくれたさっきより、さらに一段ととまどってしまった。次にいったいどういうことを言ったりしたりすべきなのか、まるで見当がつかないのだ。

＊

やつれたロベルト・ヴィクトロヴィチと生まれつきひ弱なソーネチカの、どこにそんな力があったのだろう。疎開というみじめな砂漠のまっただなかにあって、生活は苦しく、上からは抑えつけられ、だれもがなんとなく抱いている恐怖は切れ味の悪いスローガンでかろうじて覆い隠されていた、そんな戦争の最初の冬に、ふたりで手に手をとりあって新しい生活をはじめようだなんて、いったいどこにそんな力があったのだろう。ふたりは人づきあいもせず、スワン人の見張り塔のようにぽつんと孤立して暮らしたが、互いのそれぞれの過去は、なんでもかんでもどんな些細なことでも共有し合った。ロベルト・ヴィクトロヴィチの来し方は、光のまぶしさに方向を失った蛾が飛ぶときのようにジグザグを描いて、ユダヤ学から数学へ、それから生涯で最も大事な仕事へと（彼自身の言い方を借りれば、絵の具を塗りたくるだけの、無意味だけれどやりがいのある仕事、ということになる）、そのたびごとに楽しくも劇的に変化したし、いっぽうソーネチカの過去は、見も知らぬ人たちが本に書いたさまざまな虚構《フィクション》を養分にしてできあがっており、作り物の魅力でいろどられていた。

今では、一度も男性経験がなかったという神聖で気高い事実まで、ソーネチカはふたりの生活の共通の話題にしていたし、ロベルト・ヴィクトロヴィチが自分に打ちあけてくれる大切な話は、レベルが高くて必ずしもわかりやすいわけではなかったけれど、どこまでも思いやりのある勘のいい合の手を入れながら耳を傾けていた。彼は彼で、夜の長い語らいが終わると、自分の過去が一変してまったく違ったふうに見えてくることに驚いていた。毎晩のように妻とかわす会話は、賢者の石に触れるのにも等しく、過去を浄化させる魔法のメカニズムになっているのだった……。

ロベルト・ヴィクトロヴィチの記憶では、五年の長きにわたって送った収容所生活で、とくに辛かったのは最初の二年、それからあとはなんとか馴染んでいき、お偉方の奥さんたちの肖像画を描いたり、注文に応じて模写をさらに模写したりするようになった……。もとの絵自体が、芸術とも言えないようなひどい代物だったので、ロベルト・ヴィクトロヴィチは模写するときはたいがい、たとえば左手で描くなどして、何かしら工夫を凝らして気晴らしをしたものだ。そんなことをしているうちに偶然、左手ばかり使っていると色彩感覚が変化するということに、ふと気づいたりもした……。

気質からしてロベルト・ヴィクトロヴィチは質素な人間で、いつも最小限のものですますことができたが、歯ブラシ、上等の剃刀、髭剃り用のお湯、ハンカチ、トイレットペーパーといった「必需品」と考えられるものすらない状態が長年つづいたため、今はどんなにつまらないものでもありがたく思え、妻ソーネチカがいてくれるだけで一日一日が光り輝いているのも楽しく、奇跡的に収容所を出てからは、地元の警察署に行くのが週にたった一度でいいことになり、以前と比べればそれなりに自由でいられることもうれしくて仕方なかった……。

ふたりは、ふつうよりいい生活をしていた。工場の管理部の地下に部屋を一室、工業アーティスト用にとあてがわれており、これが窓はついていないものの、ボイラー室のとなりなのであたたかい。停電になることもほとんどない。ソーネチカの父親が自慢の職人技をふるってよけいに食料を手に入れ、ジャガイモを差しいれてくれたりすると、ボイラーマンが焼きイモにしてくれた。

一度ソーネチカは、彼女らしからぬ熱っぽい調子をわずかにまじえて、夢見るように言ったことがあった。

「これでわが国が勝利して、戦争が終わったら、きっと幸せな生活が始まって……」

するとと夫が、気むずかしげに、すげなくさえぎった。

「のぼせあがっちゃいけない。今だって立派に生活してるじゃないか。勝利か……。どっちの人喰いが勝とうと、きみとぼくはいつだって敗者の側にいるんだよ」そして奇妙な言葉で陰気にしめくくった。「わたしが師からもらい受けたもの、それは、緑にも、青にもならなかった……」

「それ、なんなの?」心配になってソーネチカは聞いた。

「ぼくが言った言葉じゃない。ローマ皇帝マルクス＝アウレリウスの言葉だよ。青とか緑とかっていうのは競馬チームの色だ。ぼくが言いたかったのは、どの馬が一番かなんてことにはまったく興味がないってことだ。ぼくたちには、そんなことはどうでもいい。どっちみち人間も、人間の私生活もそのうち滅ぶんだから。おやすみ、ソーニャ」

彼は頭にタオルを巻きつけて(収容所でこんな変な癖がついた)、たちまち寝入ってしまった。でもソーネチカは長いこと寝つかれず、暗いなかで、夫の言葉の舌足らずのところをくよくよ考えたり、彼が言わなかったことよりもっとずっと恐ろしい考えを追い払おうとしたりしていた――夫がなにかものすごく危険なことを知っているのなら、それには触れないほうがいいのではないか。彼女は、その気がかりな考えを別の場所、おなかのさらに下の悩ましくデリケートなところに追いやってしまうと、目の前の暗闇と同じ暗がりのなかで、大きさにしてマッチの四分の一くらいの小さな手が、はじめての住みかの柔らかい壁をそっとなでているところを思い描いて、にっこりほほえんだ。

ところで、ソーネチカはそれまで、本の世界をくっきり生き生きと感じとってきたのだが、その能力が少しずつ鈍ってきて、どういうわけか衰えてしまい、やがてとつぜん、本のページのこちら側で実際に起こるごくくだらない出来事――自家製のネズミ捕りにネズミがひっかかったとか、すっかり枯れて干からびていた枝をコップに入れておいたら葉っぱが出てきたとか、ロベルト・ヴィクトロヴィチがたまたま中国茶を手に入れたといった出来事――のほうが、本のなかの他人の初恋よりも、他人の死よりも重要になり、地獄におりていくなどといった、若夫婦の文学趣味がぴったり一致するような極端な場面よりも大事な意味を持つようになってしまった。

あわただしく結婚してから二週間目にして、早くもソーネチカは、自分にとって恐ろしいことを夫から聞かされていた。ロシア文学にまったく関心がないばかりか、ロシア文学は露骨で、思想的で、たえがたいほど説教くさいと思っている、というのだ。ひとりプーシキンだけは、しぶしぶながら例外扱いしていたが……。議論がはじまり、ソーネチカがロシア文学を熱っぽく擁護しはじめると、ロベルト・ヴィクトロヴィチは、彼女にはよくわからない話で手厳しく冷たく反論してくるので、こうした「家庭会議」の最後はたいてい苦い涙を流し甘い抱擁をかわすことになった。

ロベルト・ヴィクトロヴィチは頑固で、いつも切り札をとってあったが、ある日、ひっそりとした夜明け前の時間になってから、寝入りばなの妻にこう言ってのけた。

「ろくでなしだよ！　大家なんて呼ばれてるやつらはみんな、ろくでなしだ。ガマリイルからマルクスまでみんな……。それにロシアの……ゴーリキーはまるっきりいかがわしいし、エレンブルグは死ぬほど臆病だし……。アポリネールだっていかがわしいけど……」

ソーネチカはアポリネールという名前を聞いて身震いした。

「アポリネールも知りあいなの？」

「そうだよ」夫は気のない返事をした。「第一次大戦のときさ……。二ヵ月ほど、やつといっしょに住んだことがある。そのあと、ぼくはベルギーのイープルという町の郊外に移ったんだ。イープルって、知ってる？」

「毒ガスのイペリットがはじめて使われた町でしょ。おぼえてる」ソーネチカは、エピソードの尽きない夫の半生に感心しながら、つぶやいていた。

「ありがたいことにね……ちょうどあの毒ガス攻撃にさらされたんだけど、ぼくは丘の上にいて、風上だったから、毒にやられずにすんだ。ほんとについてる……ぼくは運がいいんだよ……」そして、自分がとくべつに幸運な「選良」であることをもう一度たしかめようとするかのように、ソーネチカの肩の下あたりに手を入れてくるのだった。

以後、ふたりはロシア文学の話題には戻らなかった。

＊

目的のはっきりしない出張の最中にあったロベルト・ヴィクトロヴィチは、これをできるかぎり長く引きのばしていたのだが、子供が生まれる予定の一ヵ月前に出張期限が切れることになり、ただちにバシキールの村ダヴレカノヴォに戻るようにとの指令を受けた。これからはその村に住み、未来に希望をつないで、残りの流刑期間を最後までつとめあげなければならないわけだが、その未来をソーネチカはやはりすばらしいものになるにちがいないと想像しており、ロベルト・ヴィクトロヴィチはそんなはずはないと考えていた。

ソーネチカの父も、すっかり肺を悪くしてしまった母も、せめて出産までスヴェルドロフスクにいたら、ととめたが、ソーネチカは夫といっしょに行くと決めて一歩も譲らず、またロベルト・ヴィクトロヴィチも妻と別れたがらなかった。このときばかりは、年老いた時計職人も、娘婿に不満の影をちらつかせた。当時ソーネチカの年老いた父は、実の息子も、上の娘の婿も失っていたため、ロベルト・ヴィクトロヴィチとはあまり言葉をかわさないながら仲良くつきあっていた。たしかにソーネチカの父とロベルト・ヴィクトロヴィチでは社会的な水準がちがうけれど、世界がひっくり返ったようなこんなご時世にあっては、そうした違いはさしたる問題でないどころか、かえって、知識人《インテリ》がプロレタリアートよりも勝っているという考えがまやかしだということをはっきりさせるだけだった。文化を氷山にたとえるなら、社会的水準など氷山の一角にすぎず、それ以外の点でいえば、知識人《インテリ》だろうとプロレタリアートだろうと、水面下の部分は共通、つながっているのである……。

ソーネチカの家族は、一昼夜かけてふたりの旅支度を整えてやった——それが、仕事を片づけるためという名目でロベルト・ヴィクトロヴィチに与えられた時間だった。母は、黄色い涙をこぼしながら、一生懸命おむつの縁かがりをし、自分の古いシャツを裁って貴重な細い針で愛情をこめて産着を縫ってくれた。姉は、夫が戦死したばかりだったのに、じっと前を見すえたまま、赤い毛糸で小さなソックスを編んでくれた。父は、手に入れた小麦粉一プードを、いくつかの袋に小分けして詰め、ソーネチカのほうをときどき疑わしそうな目で見ていた。というのも、ソーネチカは妊娠九ヵ月になるというのに、最近ひどくやせてきて、スカートのボタンもつけかえる必要がないほどで、身重だというのは、体の線が変わったことからではなく、むくんだ顔やはれぼったい唇を見てようやくわかるといった具合だったからだ。

「女の子だ、きっと女の子だよ」母がひっそりと言った。「娘っていうのは、いつだって、母親のきれいなところを飲んじまうもんなんだ」

姉はいい加減にうなずいただけだったが、ソーネチカはぽっとなってほほえみながら、ずっと心のなかで繰りかえした。「神様、できたら女の子を授けてください……できたら色白の女の子を……」

＊

夜中、知りあいの鉄道員が、駅から一・五キロほど離れたところに停まっていた三両編成の小さな列車にふたりを乗せてくれた。床に上等な木を使っているあたりに、上流階級用に作られた車両だったことを思わせる痕跡をとどめている。もっとも、ふわふわのソファや折りたたみ式のテーブルはとっくに壊れ、往時のプルマン式車両を飾っていた豪華な調度も、板張りの座席にかわっている。

スヴェルドロフスクからウファまで、ぎゅうぎゅう詰めの列車で一日半以上もゆられたが、どういうわけか、道中ロベルト・ヴィクトロヴィチは、バルセロナに無分別な旅をした若いころのことをしきりに思いだしていた。まとまった大金をはじめて手にしてバルセロナに飛んでいったのは、一九二三年だったか、二四年だったか、建築家ガウディと知り合うのが目的だった。

ソーネチカが、毛布でふんわり縛った荷物に両足をのせ、肩を夫のやせた胸にもたせかけて、安心しきったように旅のあいだじゅうほとんど眠りっぱなしだったのに対して、夫は、バルセロナで泊まったホテルが曲がりくねった坂道をのぼっていったところにあったことや、窓から単純な円形の噴水が見えたこと、まるまる一週間いっしょに派手に遊びまわった娼婦がとびきりの美女で、浅黒い顔に彫ったような鼻孔があったことなどを、しきりに思いおこしている。記憶をさぐると、たやすく細かいことまではっきり蘇ってきた。ホテルのレストランで働いていたボーイはフクロウみたいな面がまえをしていた。クリーム色をした子牛革のすばらしいメッシュの靴を買ったのは「ホメロス」と書かれた馬鹿でかい青い看板の店だったっけ。バルセロナで遊んだあの女の名前まで思いだしたぞ——コンチェッタだ！　イタリア女で、アブルッツィ生まれのおのぼりさんだった……。でも、ガウディはちっとも気に入らなかった……。あれから四半世紀近く経ったというのに、どこをとってもわざとらしくて不自然で、植物そのものといった感じのあの奇妙な建築物を、細かいところまで目の前にありありと思い浮かべることができる……。

ソーネチカがくしゃみをし、なかば寝ぼけて、なにかつぶやいた。ロベルト・ヴィクトロヴィチは眠っている彼女の手をそっと自分のほうに引きよせ、荒涼としたバシキールのウファ郊外に意識を戻すと、にっこりほほえみ、腑に落ちないというように白髪頭をふった。「ほんとにあそこにいたのはぼくなんだろうか。ほんとに今ここにいるのはぼくなのか。まったく実感がわかない……」

＊

臨月も終わりに近づき、出産が近づいてきたことを示す最初の兆候があったので、ロベルト・ヴィクトロヴィチはソーネチカを産院に連れていった。産院は、起伏のない大きな村のはずれ、森もなく、踏みかためられた場所に建っていた。建物は、粘土とレンガに藁を混ぜあわせたものでできており、粗末なつくりで、小さな窓はどれも曇っている。

ここでたったひとり医者をつとめているのが、なにかというとすぐに赤くなる、金髪で、肌理《きめ》細かな白い肌をした中年のジュワルスキ氏だが、ポーランドから逃れてきたばかりで、ついこの間までワルシャワで評判のドクターだったという。上品な男で、おいしいワインに目がなかった。医者は、部屋にはいってきた来訪者たちに背を向けて立ち、立派な口ひげの先をかみながら、大きなメガネのレンズをスエードの布きれでふいていた。白衣は、あわいブルーがかった白で、その白さが場違いなほどきわだっていたが、見る者の心をおちつかせてもくれる。この窓辺に、彼は日に何度も近寄っていっては、ワルシャワで勤めていた病院の窓から見えるイェルサレム並木道とはくらべものにならない光景――あちこちに汚い草が生えているだけの、ぼんやりした表情の土地を眺め、赤と緑のチェックのイギリス製ハンカチで目にたまった涙をぬぐうのだった。そのハンカチが、手元に残った最後の品なのだ……。

いましがたジュワルスキは、四〇露里の道のりを馬でやってきたバシキール人の中年女性を診察して、看護婦に「洗ってやりなさい!」とどなったばかりだった――それで今こうして立っているわけだが――辱められたような気がして、われ知らず震えがくるのをなんとか抑え、前に自分が診たサテンのようになめらかな患者たちのことを思い浮かべたり、手入れのゆきとどいた高値のつきそうな彼女たちの性器がミルクのようなほんのり甘い香りをただよわせていたことを憂鬱な気持ちで思いだしたりしていた。ふと、うしろにだれかいるような気がして振りかえると、腰かけに、明るい色のくたびれたコートをはおった若い大きな女と、つぎのあたった上着を着た細面で白髪の男がすわっている。

「ご面倒をおかけいたします、ドクター」という男の第一声を聞くなり、ジュワルスキは、相手が自分と同じ階級の人間、蹂躙されたヨーロッパ・インテリゲンチャだということを感じとり、ちゃんとわかりましたよ、というように、にこにこ笑いながらふたりのほうに近づいた。

「さあさあ……どうぞ。ご夫妻でいらしたんですね」ふたりの年がかなり離れていることに気づいたジュワルスキが、なかば物問いたげな調子でそう言ったのは、ふたりがさほど似合いのカップルというわけでもなく、これだけ年が離れていれば何か別の関係ということもありえたからだ。カーテンで仕切ってごく狭いながらも執務室にしているほうを、医師は手で示した。

それから一五分後には、ジュワルスキはソーネチカの診察を終え、出産が間近いことを確認して、万事順調で予定どおりなら一〇時ごろまで辛抱するようにと言った。

ソーネチカをベッドに寝かし、冷たくてこちこちになっている防水布をかけてから、医師はソーネチカのおなかを、どちらかというと獣医のような手つきでぽんと叩いて、例のバシキール人のところに行ってしまった。この女は三日前に赤ん坊を死産して、そのときは何ともなかったのに、今になって具合が悪くなったということだった。

二時間半がすぎたころ、きれいに剃りあげた頬に大粒の涙を流しながら玄関ポーチに出てきた医師は、どこへも行かずそこにすわって暗い顔をしているロベルト・ヴィクトロヴィチを見つけると、かなり大きな声で痛ましげに耳打ちした。

「わたしは銃殺刑にされてしかるべきです。こんなひどい条件で手術をする権利なんて、わたしにはない。何もそろってない、文字どおり何もないんですよ。でも手術をしないわけにもいかない。一日もすれば、あの患者は敗血症で死にますよ！」

「何があったんですか」ソーネチカが死んでゆくところを想像したロベルト・ヴィクトロヴィチは、声をこわばらせて聞いた。

「ああ、なんていうことだ！　申し訳ない！　あなたの奥さんは順調で、陣痛がつづいています。わたしは、あのかわいそうなバシキール女のことを言ってるんです……」

ロベルト・ヴィクトロヴィチは歯ぎしりして、心のなかで思いきり憎まれ口をたたいた。自分の感情をいちいち口に出さないではいられない神経質な男に我慢ならないのだ。彼は唇をもぐもぐさせ、横を向いてしまった……。

ジュワルスキがポーチで話していたこの一五分の間に、ソーネチカは、体重が二〇〇〇グラムほどの小さな赤ちゃんを産んだが、色白で細面で、ソーネチカが思い描いていたとおり、そっくりそのままの女の子だった。

＊

ソーネチカの生活は、一から十までがらりと変わってしまい、まるで以前の生活がソーネチカときっぱり縁を切って、あんなに好きだった本の中身まで洗いざらい持っていってしまい、かわりに、思いもよらないような苦労の種ばかりを置いていったのではないかと思うほどだった。不安定なひどい貧乏暮らしで、寒さに悩まされ、かわるがわる病気になる小さなターニャと夫のことを毎日気づかっていなければならなかった。

もしソーネチカの父の助けがなかったら、一家は生きのびられなかったにちがいない。父は、三人が生きていくためになくてはならないものを、なんとかして手に入れては送ってくれた。赤ちゃんを連れてスヴェルドロフスクに帰っておいで、と両親は再三、説得したが、どんなに苦しくてもソーネチカの答えはいつも変わらず、「ロベルト・ヴィクトロヴィチといっしょじゃなきゃだめなの」だった。

はてしなくつづく秋のような雨ばかりの夏が終わり、あっというまに厳しい冬がやってきた。湿気を含んだ日干しレンガでできたこんなガタガタの家に住んでいると、工場管理部の地下の部屋が、熱帯の天国のように思え、無性《むしょう》になつかしく感じられる。

悩みはおもに燃料だった。この当時ロベルト・ヴィクトロヴィチは、コンバイン運転士学校で経理の仕事をしており、この学校でときどき馬を貸してもらえたので、秋のうちから足しげく大草原《ステップ》にでかけて、立ち枯れた背の高い草を刈りとっておいた。この草はアブラガヤに似ていたけれど、とうとう名前はわからずじまいだった。幌つき荷馬車にいっぱい積みこむと二日分の燃料になるが、そのことは、スヴェルドロフスクに行く前の冬をこの村ですごした経験から知っていた。

彼はとってきた草を固め、自家製練炭にして、離れに詰めこんだ。ジャガイモを保存しておく場所が要ることなど天から考えもせず、前に自分自身で張った床の一部を持ちあげ、穴を掘って乾かし、盗んできた板で補強した。こうやって彼が便所を作ると、となりに住んでいるラギーモフ老人は首をふりふりあざ笑った――このあたりでは、おまる用の板は贅沢中の贅沢と思われていて、大昔から「自然が呼んでいる」ままに、そこらへんですませてきたのだった……。

忍耐強くやせぎすのロベルト・ヴィクトロヴィチにとって、肉体の疲労はかえって精神の慰めになったが、それは、偽りの数字をならべて意味もない計算をしなければならないことや、液体燃料がごっそり盗まれ、部品がちょろまかされ、自家栽培(これを牛耳っているのは、右手がきかない陽気であつかましいウクライナ人の古狸だった)の野菜が地元の市《いち》で売りさばかれるたびに嘘の報告書や偽造調書を作成しなければならないことに、どうしようもなく心が苛まれるからである。

その埋めあわせに、毎晩、彼は家のドアをあけはなして、石油ランプの炎がゆらゆらとゆらめき、光がぼうっとゆれ動くなかで、ソーネチカの姿をながめた。たったひとつしかない椅子(彼が、肘をかけるところを作りつけてやった椅子)に腰かけるソーネチカ。枕のような形のおっぱいの、つんと尖った乳首には、赤ん坊が、テニスボールのようにやさしく毛羽立ったグレーの頭を、貼りつけるように押しあてている。こうした情景がひそやかにたゆたい、脈打っていた。ゆらめく光の波、目に見えないあたたかい母乳の波、さらにとらえどころのない気の流れのようなものまで感じて、ロベルト・ヴィクトロヴィチはドアを閉めることも忘れて立ちつくす。「ドーア!」長く引きのばした声でささやくようにはっきりそう言うと、ソーネチカは、夫にむかって全身でほほえみかけ、ひとつしかないベッドに娘を横向きに寝かせ、台の下から鍋を取りだして何もないテーブルのまんなかに置く。今日はご馳走という日には、鍋のなかに、馬肉や自家菜園のジャガイモ、父の送ってくれるキビの浮いた、こってりしたスープがはいっていることもある。

夜明けがた、ソーネチカは、娘がごそごそ動くのに気づくと、まどろむ背中に夫の気配を感じながら、娘を腹のあたりにぎゅっと抱えこむ。目を閉じたままパジャマの前をはだけ、夜のあいだに硬く張ってきた乳房を引っぱりだして、乳首を二度強くつまみ、母乳がぴゅっと飛んで二本の細い流れになって花模様の布きれに落ちてから、その布で乳首を拭く。娘は寝返りを打とうとし、唇をすぼめて、ぴちゃぴちゃ音をたて、小さな魚が大きなエサにくらいつくように乳首をくわえようとする。母乳はたっぷり楽に出るので、乳首を軽く突つかれて思わず身震いしても、歯の生えていない歯茎で軽くかまれても、授乳はソーネチカに快楽をもたらしてくれた。夜明け前の早い時間にかならず目をさます夫も、そのことをどういうわけか感じとっているらしく、ソーネチカの広い背中を抱き、焼きもちをやいているみたいに自分のほうに引き寄せるので、ソーネチカは、どうにかなってしまいそうなほどの幸せを二重に抱えて気が遠くなりそうになる。こうして、朝の光がさしこむころにはソーネチカはほほえみ、みずからの肉体で、自分とは切り離せない大切なふたりの飢えを、黙々と、喜んで、癒してやっているのだった。

こうした朝の感覚が、その日を一日じゅう光り輝かせることになり、どんな仕事も、まるでひとりでに片づいてしまうかのように、楽々とうまくはかどった。どの一日も、細かいところまでくっきりとソーネチカの記憶にきざみつけられており、前後する日々とまざりあってしまうことはなかった。あの日は、お昼どきにしとしと気だるく雨がふっていたとか、あの日は、足の曲がった鉄さび色の大きな鳥がやってきて塀にとまったとか、あの日は、娘のふくらんできた歯茎に、一番早い乳歯のぎざぎざが見えた、といった具合である。ソーネチカは毎日の光景も、その匂いや色合いも、終生大事にとっておき（記憶なんてこんな厄介で意味のないことが、いったいだれに必要なのだろう）、とくに、おおげさなほど重きをおいて大切にしていたのは、さまざまな状況に直面したときに夫が口にする一言一句だった。

何年もあとになって、ロベルト・ヴィクトロヴィチは、手あたりしだいに何でもおぼえてしまう妻の記憶力のよさに、一度ならず驚かされることになる。特別製の記憶装置の底に、それこそ数字でも、時刻でも、どんなこまかいことでも、山と積みあげられていくのだ。娘が大きくなるにつれ、ロベルト・ヴィクトロヴィチは手製の玩具をどっさり作ってやり、長らく忘れていた創造の喜びをふたたび感じるようになるが、ソーネチカはそうした玩具もひとつ残らずすべて記憶にとどめていた。木彫りの動物や縄をなって作った空飛ぶ鳥、人相の悪い木製の人形といったこまごましたものを何もかも、のちにソーネチカはモスクワへ持っていったけれど、ここで、ラギーモフ家の子供たちや孫たち(まるで、一様にやせこけた子スズメたちの仲睦まじい群れのよう)に残していった玩具だって、けっして忘れたことはなかった――王様の人形が住むための、ゴシック風の塔と跳ね橋のある開閉式要塞。マッチ棒で奴隷や動物の姿をかたどったローマのサーカス。動いたり、ぎいぎい鳴ったり、おかしな荒っぽい音楽をかなでたりする何枚もの色板とハンドルのついた、どっしり重たい装置……。

これらの玩具はあまりに手が込んでいて、小さな子供の遊ぶ能力をはるかに上まわっていた。娘は物覚えがよくて、母と同じくこの時期のことをたくさん記憶しているのに、当時父がこしらえた玩具のことをおぼえていないのだが、それは、その後、一九四六年に一家がウラル地方からアレクサンドロフに引っ越したあと、父が木片や色紙で夢のような一大都市をいくつも作ってくれたためかもしれない(この都市模型は、のちに「紙の建築」と呼ばれるようになる作品にぐんと近づいている)。玩具はこわれやすく、四〇年代末から五〇年代初めにかけて一家がたびたび引っ越しをするうちに、いつのまにか失われていった。

ロベルト・ヴィクトロヴィチの前半生が、地理的に、無謀なほどの大移動の連続だったとしたら（ロシアからフランスへ、それからアメリカ、バルカン半島、アルジェリア、またフランス、最後にふたたびロシア）、収容所と流刑に費えた後半生は、小走りの連続といっていいだろう（アレクサンドロフ、カリーニン、プーシキノ、リアノゾヴォ）。こうして、丸一〇年をかけてふたたびモスクワに近づいていたが、そのモスクワは、アテネにも、イェルサレムにも、似ても似つかない町だった。ソーネチカは、亡くなった母のミシンを遺産としてもらい受け、見よう見真似で袖ぐりに袖を縫いつけられるようになると、罪のない厚かましさも母から受け継いだのか、戦後まもない数年はその細腕で家族を養うようになっていた。注文してくる客はうるさいことを言わなかったし、仕立てを請け負うソーネチカだって、誠心誠意、掛け値なしで働いた。

ロベルト・ヴィクトロヴィチは半端仕事をし、学校の警備員をしたり、何に使うのかわからない巨大な鉄の金具を生産する協同組合の会計係をしたりしていた。パリの自由なパンを食べて育ったせいか、退屈でうっとうしいお上に仕えて専門的な職業につこうなどとは思いもよらなかったし、またたとえお上の愚鈍な残虐さや恥知らずなウソに目をつぶることができたとしても、官職につくのはまっぴらご免だったろう。

芸術家としての空想がひろがると、まっ白い測量製図板の上で想像力を満たし、かつて娘を夢中にさせた紙や木片の玩具に、さらに工夫を凝らしてその「第三世代」を器用に作った。そうこうするうちに、ロベルト・ヴィクトロヴィチには、立体の展開をイメージできる一種独特の才能や、空間と平面の関係に対する見事な感覚が花開いたわけだが、一枚のまっさらな紙を切りぬき、あっちを少しへこませたり、こっちを折りまげたり、裏返したりして仕上げる作品は、風変わりで、目をそらすことができないほど魅力的で、なんと呼んだらいいのか、これまで自然界にまったく存在したことのないものだった。かつて娘のために考えだした遊びが、こうしてロベルト・ヴィクトロヴィチ自身のものとなった。

ソーネチカが女としてロベルト・ヴィクトロヴィチに寄せる信頼には、際限がなかった。いったん夫に才能があると信じてからは、夫の手で生みだされるものを何から何まで、うやうやしく賛嘆してやまなかった。もちろんこみいった空間の問題がソーネチカに理解できるわけはなかったし、ましてや、そういった問題がどんなふうに優雅に解決されているのかなどということはさっぱりわからなかったけれど、この奇妙な玩具に夫の個性がにじみ出、不思議な力が躍動していることを感じて、とっておきのセリフを幸せそうにつぶやくのだった。「なんてこと、なんてこと、こんなに幸せでいいのかしら……」

絵を描くことをロベルト・ヴィクトロヴィチはやめてしまった、と言っていいだろう。むかし気晴らしに娘のターニャと遊んだことがきっかけで新しい手仕事をはじめたように、今回またしても偶然の出来事に後押しされることになったのだが、今度のきっかけは、アレクサンドロフの電車のなかで、チムレールという名高い画家にばったり出くわしたことだった。チムレールはパリ時代からの友人で、ロベルト・ヴィクトロヴィチがモスクワに戻ってからも逮捕される直前までずっと友達づきあいをしていた男だった。フォルマリストだという評判だったが——凡庸なくせにとんでもないことをして社会に認められてしまう輩は、チムレールをフォルマリストと呼んでいったい何が言いたかったのか、いつかだれかに説明してもらいたいものだ——、当時は演劇の仕事を隠れ蓑にしていた。地元大工の息子であるチムレールは、ロベルト・ヴィクトロヴィチのところにやってきて、板張りの小屋で、何列ものアラビア数字とユダヤ文字の説明書きのついた作品を一時間半も立ったまま見ていたが、それらの作品の、めったにないほどの質の高さを評価しながらも、ユダヤ人の男子宗教学校で二年間学んだ手前、作者にその奇妙な説明書きの意味を聞くのは気がひけて黙っていた。いっぽうロベルト・ヴィクトロヴィチにしてみれば、カバラーの「いろは」(若いころ熱中したユダヤ教神秘主義の味気ないなごり)と、空間を分割したりひっくり返したりする思いきった遊びとが関連しあっているることは明々白々で疑問の余地もないことなので、それを今さら説明しようなどという考えはまるで頭に浮かばなかった。

チムレールは時間をかけ黙ってお茶を飲んでいたが、帰りしな、不機嫌そうに言った。「ここはやけに湿っぽいじゃないか、ロベルト、ぼくのアトリエに作品を移してもかまわないよ」

この申し出は、チムレールに全面的に認められたということを意味していて、きわめてありがたいものだったのだが、結局、ロベルト・ヴィクトロヴィチは受けいれなかった。こうして、呼びだされてたまたまこの世に存在することになった名もない作品群は、度重なる引っ越しに耐えられず、いくつもの小屋を転々としているあいだに壊れて、無に帰していったのである。

著名なチムレールがロベルト・ヴィクトロヴィチに芝居の舞台装置の模型を作ってくれとはじめて注文にきたのも、まさにここ、この小屋だった。しばらくすると、彼の作る模型はモスクワ演劇界のいたるところで賞賛を浴びるようになり、注文の途絶えることがなくなった。五〇センチほどの舞台に、ゴーリキーの「どん底」に住む人たちの木賃宿を作ったこともあれば、トルストイの「生ける屍」の相続人のいない書斎をこしらえたこともあり、ごたごたとものを積みあげてオストロフスキーの不滅の穀物売場を作ったこともある。

＊

娘のターニャは風変わりな少女で、薪小屋と鳩舎とぎいぎいいうブランコの間を行ったり来たりしながら育った。母親の古いワンピースを着るのが大好き。やせっぽちで背が高く、ソーネチカのだぶだぶの長い上着をかぶって、ウェストのあたりに色あせたカシミアのスカーフをむすんでいた。細い顔のまわりに生えている髪は、まるで綿毛にはなったもののまだ飛んでいっていないタンポポの種のようにしなやかに立っていて、櫛も通らず、おさげに結われることもない。古い樽の匂いや、庭に置いてある腐りかけた家具の匂いや、古びて必要なくなった品々にさす濃い、あまりにも濃い影がたちこめる濃密な空気のなかを、ターニャはちょこまか歩きまわっていたかと思うと、カメレオンみたいにふいに姿を隠してしまう。ぼおっとして長いこと動けなくなり、呼びかけられてはじめてはっと身震いすることもある。ソーネチカは心配して、娘が神経過敏で、妙に考えこむくせがある、と夫にこぼした。夫はソーネチカの肩に手をまわして言った。

「そっとしておいてやり。きみだって、ターニャが人と足並みそろえて行進するような子になればいいなんて思ってやしないだろ……」

ソーネチカはターニャをなんとか本好きにしようと躍起になったが、ターニャは、母親の名人芸のような朗読を聞いても目をうつろにするばかりで、思いもよらないようなところへふらふら行ってしまうのだった。

結婚生活をつづけていくにつれ、気高い乙女だったソーネチカも、かなり世慣れた主婦になっていった。のどから手が出るほどほしいと思うのは、台所に水道の蛇口があり、娘の個室と夫のアトリエがあり、カツレツや果物の砂糖煮《コンポート》が食べられるような生活、まちまちの大きさの布を三枚縫い合わせて作るのではない、糊のきいた白いちゃんとしたシーツで寝られる、ごくふつうの人間らしい生活だった。この大きな目標のために、ソーネチカは二ヵ所で仕事をかけ持ちし、夜はミシンで縫い物をして、夫に内緒で金を貯めていた。それに、妻を亡くして、ほとんど目が見えなくなり、体もひどく弱ってきた自分の父親を呼び寄せたいと切に願っていた。

郊外バスやがたがたゆれる電車であくせくかけずりまわっていたソーネチカはみるみるうちに醜く老けこんでしまった——上唇の上に生えていたやわらかい産毛は、男のものとも女のものともいわく言いがたい薄汚いヒゲに変わり、まぶたが垂れさがって顔の表情は犬のようになり、目の下にみとめられる疲労の影は、日曜日に休んでも、休暇で二週間静養しても、もはや消しようがなくなった。

でも、老いていくことに落胆し悲しんでいると人生まで台無しにしてしまいがちで、そういうことは誇り高い美女によくあることだが、ソーネチカの場合はちがっている。というのは、どうころんでも夫のほうがかなり年上だと思うと、自分の若さはしおれていないといつも感じていられたし、ロベルト・ヴィクトロヴィチが夫婦の秘め事にかぎりなく熱意を示すので、それがますます自分の若さに自信をもつことにつながったからだ。というわけで、毎朝が、自分にはもったいないような「幸せ色」に染めあげられており、あまりに眩しすぎて、いつまでたっても慣れることができないほどだった。この、女の幸せはいつ失ってもおかしくない、というひそかな覚悟が心の奥底に息づいていた——だれかの間違いか不注意かなにかでたまたま自分の身にふりかかった幸せだと感じていたのである。可愛らしい娘のターニャのことも、偶然さずかった贈り物のように思っていたが、そのことはいつか婦人科の医者もそのとおりだと認めていた。ソーネチカの子宮は、いわゆる幼児型、つまり未発達で子供を産む能力がないとのことで、じっさいターニャを産んだあと、ソーネチカはもう二度と身ごもらず、それが悲しくて泣いたこともあった。夫のためにもっと子供を産みたいのに、産めないなんて、自分は夫の愛に値しない、と思うのだった。

＊

ソーネチカがまめまめしく働き、苦労した甲斐があって、一九五〇年代のはじめに一家は、モスクワで、なかば交換のような、なかば「買い足し」のような形で住居を手に入れ、二階建て木造家屋のまるまる四分の一にあたる部分に移ることができた。それは、地下鉄「ジナモ」駅近くのペトロフスキー公園に当時残っていた数少ない住宅のひとつで、もとは、革命以前に名をはせていた弁護士の別荘だったという、すばらしいものである。住宅に隣接している庭の四分の一も、無償でもらい受けた。

何もかも思いどおりに、うまくいった。ターニャは二階の日当たりのいい明るい部屋をもらい、ソーネチカの父は角部屋を自分の部屋にし（父は生涯最後の一年をそこで過ごすことになる）、ロベルト・ヴィクトロヴィチは室内テラスをアトリエに仕立てた。家はこれまでより広くなったし、蓄えもある。

部屋を交換したときの偶然がかさなり、ロベルト・ヴィクトロヴィチの住むことになったこの家が、「モスクワのモンマルトル」といわれる画家たちの一大コロニーから、歩いて一〇分という近さにあるということがわかった。まったく思いがけないことに、荒れはて踏みにじられた土地だとばかり思っていたここで、ロベルト・ヴィクトロヴィチは、意見を同じくする仲間というわけではないにせよ、少なくとも話の通じる相手を見つけることができたのである。たとえば、野良猫や撃たれた鳥を目にするとすぐに保護してやらないではいられないロシアのバルビゾン派画家アレクサンドル・イワーノヴィチは、地べたにぺたんとすわって荒くれた絵を描き、こうやってギリシャ神話の巨人アンタイオスのように尻を大地につけると創造の力がわいてくるんだ、とうそぶいている。禿頭のウクライナ人で禅を信奉しているグリゴーリイは、水彩絵の具をお茶で溶かしたり牛乳で溶かしたりして何十回も塗り重ね、紙の表面を透明な陶磁器か絹のように仕あげている。髪はまだらで鼻の折れている詩人のガヴリーリンは、生まれながらに線描画の才能も持ちあわせている男で、包装紙を何枚かいろいろな大きさに切って、そこに複雑な形象をいくつも描き、その合間に自作の回文でできた長詩や、言葉と文字が暗号のように連なっているものを書きこんで、ロベルト・ヴィクトロヴィチを感心させた。

こういう変り者はみな、スターリン死後の一九五〇年代後半、見かけ倒しの「雪どけ」時代になってから、ようやく本領を発揮するようになる人たちだが、やがてロベルト・ヴィクトロヴィチを慕ってちょくちょく訪ねてくるようになり、閉鎖的だったこの家は、しだいにある種のサークルのようなものになっていった。この「サークル」では、家の主人がみずから名誉会長のような役割をになった。

相変わらず口数こそ少なかったけれど、ロベルト・ヴィクトロヴィチがわずかでも懐疑的なことを口にしたり薄笑いを浮かべようものなら、たちまち横道にそれた議論を元にもどすこともできれば、会話に新しい話題を持ちこむこともできるのだった。しかし長い年月、重く口を閉ざしてきた国家がようやく口をききはじめたとはいえ、このような自由なやりとりは、やはりドアをきっちり閉めた部屋でなければできなかったし、背筋にはまだ恐怖が感じられた。

ソーネチカはターニャの長靴下を、テングタケの形の、つるんとした木製の台にかぶせてかがりながら、男たちの会話に耳を傾けている。話の内容は、冬のスズメだったり、神秘思想家マイスター・エックハルトの世界観だったり、お茶の淹れ方だったり、ゲーテの色彩理論だったりと、窓外がどんな時代でどんな苦労があろうと、いっさい我関せずといったふうだったが、ソーネチカは、森羅万象におよぶこの会話の炎に照らされて心あたたまり、敬虔な気持ちになって、たえずこうつぶやいていた。「なんてこと、なんてこと、こんなに幸せでいいのかしら……」

＊

鼻のひしゃげたガヴリーリンは、芸術であれば何でも愛し、雑誌をあちこち読みちらすくせがあった。あるとき図書館でアメリカの芸術関係の雑誌をめくっていたら、ロベルト・ヴィクトロヴィチに関する長大な論文がふと目にとまった。簡単な経歴紹介の最後は、ロベルト・ヴィクトロヴィチという画家が一九三〇年代の終わりにスターリンの収容所で死んだ、という少々おおげさな訃報で終わっている。作品が分析されている部分は、詩人にはひどくわかりにくい専門用語で書かれていたため、すべてが呑みこめたわけではないが、やさしい言葉になおして自分なりに理解したところでは、ロベルト・ヴィクトロヴィチがほとんど「古典的」大画家といっていいほどの存在だということ、とはいえ過去の人というのでもなく、いまヨーロッパで一世を風靡している芸術潮流のパイオニアだということであった。論文には、作品の複製がカラーで四枚、添えられている。

翌日さっそくバルビゾン派の友人に伴われてモスクワの図書館に行き、論文を探しだしたロベルト・ヴィクトロヴィチが、はらわたの煮えくりかえる思いをしたのは、複製画四枚のうちの一枚が自分の作品とは何の関係もないものだったうえ(これはモランディの絵だった)、もう一枚は上下さかさまに掲載されていたためだが、論文を読んで、さらに怒り心頭に発した。

「二〇年代には、アメリカはお先真っ暗の馬鹿どもの国だという印象を受けたが、どうやら、いまだに利口になっていないようだな」ロベルト・ヴィクトロヴィチは鼻息も荒く、ふんとせせら笑った。

しかしガヴリーリンが、この論文のことを、そこらじゅうで言いふらしたおかげで、思いついたらすぐ実行にうつす目ざとい劇場専属アーティストたちまで、この年老いた模型制作者のことを思いだし、あらためて挨拶に駆けつけるようになった。

こうした狂奔劇の結果、思いがけないことに、ロベルト・ヴィクトロヴィチは美術家同盟に受け入れられることになり、仕事場が与えられた。それは立派なアトリエで、窓は「ジナモ」スタジアムに向いており、パリで借りていた最後のアトリエ（リュクサンブール公園を眺められるゲイ＝リュサック通りの屋根裏部屋）に勝るとも劣らなかった。

＊

ソーネチカはもうまもなく四〇歳になろうとしていた。髪は真っ白になり、でっぷり太ってきた。ロベルト・ヴィクトロヴィチは、バッタのように軽くてやせていて以前とほとんど変わらないので、なんだか、ふたりはだんだん年齢にさほど差があるようには見えなくなってきた。娘のターニャは、両親が年とっていることを、自分の身長が高いことや足や胸の大きいことと同じく、少し恥ずかしく思っていた。一〇歳前後といえば、めだって早熟な子というのはまだそれほどいないものだが、ターニャはどこをとっても年齢のわりにサイズが大きかった。でも、ソーネチカの小さいころとちがって、ターニャのかたわらには妹をからかう兄はいないし、それどころか、ことあるごとに父親がすばらしい肖像画を描いてくれるので、さまざまな年齢の自分が壁のいたるところからこちらを見ているのが慰めにもなり、自分自身を不満に思う気持ちもやわらげられるのだった。七年生にもなると、自分よりも成長の遅れている同級生たちや、年上の男の子たちに、なるほど自分は魅力的にちがいない、と納得させられるようになる。

小さいときからターニャは、望むことをなんでもすぐに叶えてもらってきた。ターニャを愛してやまない両親は、この点、たいへんな熱意をもっており、たいていは娘が望むより先まわりをしていた。金魚も犬もピアノも、娘がほしがる素振りを見せたとたん、ほとんどその日のうちに家にあらわれたものだ。

ターニャは、生まれたときから素敵な玩具にかこまれていたので、いっしょに遊んでくれる人がいなくてもいい「独り遊び」が生活の中心だった。長くつづいた子供時代の楽しい遊びを卒業するにあたって、二年ほどもぶらぶらしながら子供から大人への移行期間をなんとかやり過ごしたターニャは、大人はどんな遊びが好きなのかということをいち早く察すると、自分だって楽しいことをする権利があるし自由でのびのびとした人間なのだ、とはっきり自覚して、大人の遊びに没頭するようになった。

その昔ヴィーチカ・スターロスチンに片思いをしてひどく傷ついたソーネチカのような体験は、ターニャにはまったく縁がなかったし、それに近い出来事もなかった。ターニャは、常識からすれば美人とはいえず、だれもが認めるような可愛らしさを持ちあわせているわけでもなかったけれど、長い顔や細い鷲鼻、みごとに逆立っている巻き毛、透きとおったガラスのような細い目には、ふつうの女の子にはめったにない魅力が感じられた。同級生たちはまた、ターニャがいつでも本や鉛筆や自分の帽子を使って遊んでいることにも感心していた。彼女の両手のなかでは、どんなときでも、すぐ近くにいる人にしかわからないような、ささやかな芝居がおこなわれているのだった。

あるとき、友達のボリースカのところへ数学の宿題を写させてもらいに行ったターニャは、ボリースカの指や唇で一心不乱に遊んでいるうちに、ふと自分にはない対象《もの》を見つけて、すっかり夢中になってしまった。夕方で、隣の部屋にはボリースカの両親がいて、ドアが半開きになっていたため、この広い隙間から明るい光がもれてきて、隣の部屋のテレビの前にいる両親の大きな影が見えていたが、この隙間もゲームのルールみたいなものになり、ふたりはそれをちゃんと守りながら、実際にしていることとはかけ離れた、両親に聞かれてもいいような会話をつづけた。そしてこの場面は、「で、一度も試したことないの?」「じゃ、きみは?」といった無邪気な子供らしいやりとりではじまったが、こういうやりとりをしたからにはもうあとに引く理由はないと思ったターニャが、「やってみようよ!」と言いだしたので、結局、新しい対象《もの》の短めの入門(文字どおりの意味でも比喩的な意味でも)で幕を閉じた。

身を焦がすような瞬間にきて、折悪しく隣の部屋から、夕食にしましょうと声をかけられたため、つづきを試すのはもっと都合のいいときまでお預けということになったのである。

それからは両親のいないときに会うようになった。ターニャはあらためて自分の体を意識するようになり、それが面白くてしかたなかった。触れられると、体の各部分が――指でも、胸でも、おなかでも、背中でも――それぞれちがう感じ方をし、えもいわれぬ感覚がさまざまに体の内側からこみあげてくる。それを互いに探りあったり尋ねあったりするのが、ふたりにはとても楽しかった。

ボリースカはひ弱でそばかすだらけの男の子で、大粒の歯は前に出ていて唇の端は赤く腫れているけれど、抜群の能力を発揮したので、あれこれ試してみるのが好きな幼いふたりは、二ヵ月間というもの、三時から六時半まで、つまりボリースカの両親が帰宅するまでの時間、一生懸命ことに励み、愛の力学をとことん身につけてしまった。とはいえ、友達として実務的なことにたずさわっているだけのパートナーという関係を踏み越えるような感情は、これっぽっちも生じなかった。

ところが、その後ふたりは、いわゆる事務的な面で衝突してしまった――ターニャが、ボリースカに幾何学のノートを借りて、失くしてしまったのである。しかもターニャはろくに謝りもせず、軽はずみとしかいいようのない態度でそのことを告げた。几帳面なたちで、杓子定規のようなところのあるボリースカは、ノートを失くしたという事実よりもむしろ、自分のとった行動がどれほど失礼かということに気づかないターニャの無神経ぶりに憤慨した。ターニャはボリースカのことを退屈なやつといい、ボリースカはターニャのことを能天気呼ばわりした。

三時から六時半までのあいだが暇になったので、ボリースカは数学に精を出すようになり、自分の天職を精密科学だとはっきり見定めたが、それとは対照的にターニャは、これからどう生きていくべきかという将来のことは少しも考えずに、自分の部屋でフルートを吹きながら下手な冴えない曲を作ったり、爪をかんだり、本を読んだりしていた……。ああ、かわいそうなソーネチカ、ソーネチカの晴れやかな青春は、世界文学という高い山々のなかで過ぎていったというのに！ 人文的にはごく幼稚な素養しかない娘ターニャの読むものときたら、外国ものかロシアものかを問わずファンタジーばかりだった……。

そうこうするうちに、ターニャの吹くフルートのたよりなげな音につられて、崇拝者がぞくぞくと集まってくるようになった。ターニャを取りまく空気は熱くほてり、電気を帯びた巻き毛は逆立ち、手を近くに持っていくだけで放電し細かい火花が飛び散る。母親のソーネチカは、若い人たちにドアを開けてやったり閉めてやったりするのが関の山だったが、訪ねてくるのは、不恰好な鹿などの動物の模様が編みこまれたセーターや、灰青色の詰襟、スタンドカラーの軍服、一九五〇年代末の生徒たちの時代遅れの服（これは、年寄りじみた国民教育省かどこかが郷愁にかられて能のないまま発作的に思いついたもの）を着ているような若者たちだった。

そのなかのひとりはウラジーミルというすぐれた音楽家で、旅先のヨーロッパにそのままとどまって亡命し、大変なスキャンダルの渦中の人となったが（国境のこちら側では、そのような行動が政治犯罪と見なされた時代である）、のち、一九九〇年代末になってから回想録を出版した。文学者としても人並みはずれた才能があるところを世に示すことになったこの回想録で、彼は、その昔ターニャの部屋で音楽の夕べが催されたことや、彼女の持っていたのは弦がまっすぐのピアノで、毎日調律しなければならなかったけれど、すばらしい音色だったことなどを記している。ウラジーミルが、ターニャの奇妙な楽器のことをなつかしく思い出しているのは、ものには個性があるという不思議な事実を、駆け出しの音楽家だった当時の彼が、このピアノに教えられたからだろう。このピアノのことを語るときは、まるで、もうだいぶ前に亡くなったけれど、子供のころ、親戚の年とったおばちゃんが、サクランボばかりがいっぱい詰まった、忘れられないほど美味しいパイを食べさせてくれたんだ、とでもいうような口調になるのだった……。

ウラジーミルの書いているところによれば、ターニャの部屋には凝った窓があって、庭に面しており、窓から、幹がふたつに分かれたリンゴの古木が見えていたそうだが、まさにその部屋で、お世辞にも上手とはいえないターニャのフルートに伴奏をつけているさなかに、はじめて、創造にたずさわる共演者と理解しあうという創造的な興奮をおぼえ、おどおどしたフルートの音を引きたたせるために、音楽的に見たら自殺行為に近いような演奏を喜んで買って出たのだという。

その当時、背が低く小太りでバクに似た少年だったウラジーミルは、ターニャに恋していた。ウラジーミルの人生にも、心の奥底にも、ターニャの面影はよほど深く焼きつけられたのだろう、結婚相手は、最初のモスクワの妻も、二番目のロンドンの妻も、どう見てもターニャと同じタイプの女性である。

ウラジーミルのあとを引き継いでターニャの音楽上のパートナーになったのは、アリョーシャ・ピーテルスキー、つまり「ピーテル（ペテルブルグ）のアリョーシャ」である——アリョーシャはペテルブルグ出身なので、モスクワではこの呼び名で知られていた。ウラジーミルがクラシックの音楽教育を受けた人間だったのに対して、アリョーシャはギターを自由に弾きこなし、また音の出るものであれば、ハーモニカであれ、空き缶二個であれ、何でも思いのままにあやつることができた。そのうえ吟遊詩人でもあったし、新たな非合法地下文化で生まれた初期の歌を人形劇のペトルーシカのようなかん高い声で歌うこともあった。

このほかに、参加しているというよりは、ただそこにいるだけという男の子が何人かいたけれど、彼らもやはりなくてはならない存在だった。未来の名士ふたりには、熱心に耳を傾けてくれるファンが不可欠だったから。

＊

若かりしころは、ロベルト・ヴィクトロヴィチだって、目に見えないオーラの渦巻く中心にいたけれど、そのオーラはちょっと別種のもの、つまり知的なものだった。ターニャの笛の呼び声に応じて人が集まってくるように、ロベルト・ヴィクトロヴィチのオーラにもやはり若者たちが群がったものだ。特徴的なのは、そうした早熟なユダヤ人の男の子たち、今でいうところの「ティーンエイジャー」の作ったサークルが、緊迫した第一次世界大戦前夜という時期に何を研究していたかというと、当時流行っていたマルクシズムではなく、『光輝の書《ゾーハル》』というカバラー研究の基本的な著作だったことである。

彼らは、キエフの町はずれにあるユダヤ人地区ポドールの出身で、ロベルト・ヴィクトロヴィチの父アヴィグドル＝メリニクの家につどったものだが、この家と壁をへだてて隣り合っていたのが、のちの哲学者レフ・シェストフの父シュワルツマンの家で、やがて二〇年後、パリに行ってから、ロベルト・ヴィクトロヴィチはレフと親しくつきあうようになる。

運よく戦争と革命の時代を生きのびた男の子たちのなかで、長じて伝統的なユダヤの哲学者になるとか布教活動をするようになった者は、ひとりもいない。だれもが「エピケイレス」すなわち「自由にものを考える人間」に成長した。ある者は、生まれたばかりの映画芸術にたずさわって優れた理論家になり、実作者としてはやや運にめぐまれなかったものの映画監督もつとめあげ、ある者は音楽家になって名を成し、またある者はすばらしく腕のいい外科医になった。みな同じ釜の飯を食い、ひとつ屋根の下で、アヴィグドル＝メリニク家に充満していた若々しい電気エネルギーを糧に育った者たちである。

いまターニャの身のまわりで起こっていることは、かつて自分の青春をいろどった出来事と同じようなものだろう、とロベルト・ヴィクトロヴィチは踏んでいたが、ちがっているのは、ターニャの青春が別の本能、つまり女性的な本能（これは彼が大の苦手としているものだ）に根ざしているというところだが、おちぶれて退化した世代だということも考慮にいれるべきだろう……。

ターニャを夜遅く訪れる客たちがしばしば朝帰りをしていることに、さきに気がついたのはロベルト・ヴィクトロヴィチだった。早起きが終生の習い性となっていた彼は、ある朝、五時過ぎに起きて、住居部分からアトリエにしているテラスのほうに行こうとしたとき（この朝まだき、最も清らかに感じられる時間をアトリエで過ごすのが好きだった）、降り積もったばかりの雪の上に、玄関ポーチから木戸に向かって点々と真新しい足跡がつづいているのが目にとまった。数日後、また足跡がついているのに気づいたので、妻に、義姉が泊まりに来ていないかどうか用心深く訊ねた。ソーネチカは驚いた様子で言った。いいえ、アーニャ姉さんは泊まりに来てないけど……。

探りを入れるまでもなく、ロベルト・ヴィクトロヴィチは、翌朝、薄っぺらなジャンパーを着た背の高い若者が、庭を抜けて出て行くところを目撃した。ソーネチカには、気づいたことをひと言も言わなかったが、夜になると、重たくなった頭を夫の肩にもたせかけて、ソーネチカのほうから愚痴をこぼしてきた。

「ターニャったら、勉強はしないし……何にもしないで……学校では叱られてばかり……。なんだかいやらしい仄めかしをするの、あの子の担任……ライーサ・セミョーノヴナ先生ったら……」

夫はソーネチカを慰めた。

「ほっといておやり、ソーネチカ。ほっとけばいい。腐りきって、ぷんぷん嫌な臭《にお》いがする……。ターニャがやめたいんなら、そんなどうしようもない学校、やめさせてやればいい。そんな学校、だれにも必要ないさ……」

「なんてこと！　なんてこと言うの！」ソーネチカは肝をつぶした。「教育は受けさせなくちゃ」

「おちつくんだ」ロベルト・ヴィクトロヴィチは妻の言葉をさえぎって言った。「あの子をそっとしておいてやりなさい。したくないのなら、する必要はない。笛でも吹かせておけばいい、まだましだろう……」

「ロベルト、でもあの男の子たちのこと。とても心配なの……」ソーネチカはおずおずとながら攻撃をしかけた。「ひとり、一晩中あの子のところにいたみたいで、ターニャったら、そのあと学校に行こうとしないのよ」

ロベルト・ヴィクトロヴィチは、その朝目にしたことを打ちあけずに黙っていた。ターニャがボリースカにお引取りを願ってからというもの、まさしく一匹の雌犬に何匹もの雄犬がまとわりつく状態になっていた。男性ホルモン剤をたっぷり摂取した若者たちが、ターニャのまわりにしつこく、うるさく群がっていた。そうやって、隙あらば、とねらう者たちのうちの何人かと、彼女はさらなるお楽しみを重ねていたが、比べてみると、どの点をとっても、どう考えてもボリースカのほうが勝っていた。

春が近づくと、ターニャが九年生に進級できないことがはっきりした。学校のごたごたがどうしようもなく厄介になり、ロベルト・ヴィクトロヴィチは、ソーネチカにひと言も相談しないで、いきなりターニャの履歴書を夜間学校に提出しに行ったが、そのことは、のちのち家族全員に、とりわけ彼自身に、たいへん深刻な結果をもたらすことになる。

＊

逆らいがたい運命のいたずらで、ずっと以前、ソーネチカがロベルト・ヴィクトロヴィチの妻になったように、ターニャもまた運命のいたずらに見舞われた。ターニャが熱烈に恋をした相手は、学校の掃除婦でもあり同時に同級生でもある一八歳のヤーシャというポーランド人の女の子で、小柄なヤーシャは、産みたての卵みたいにつるつるの顔をしていた。ふたりの友達づきあいは、うしろから二番目の席で、ゆっくりとはじまった。大柄で鷹揚なターニャは、洗浄済みの薬壜のように透きとおったヤーシャを崇敬の思いで見つめ、ヤーシャの前では臆してしまう自分をもてあましていた。ヤーシャは口数が少なく、たまにターニャが何か聞いても手短に答えるだけなので、控えめなようにも尊大なようにも見える。両親はポーランドの共産主義者だったが、ファシストが侵攻してきたので、やむを得ず離れ離れになり、父は西へ、母は乳飲み子を抱えて東へ、つまりロシアに逃れてきたのだった。母親は、数億人国家ロシアになじむことができず、博愛的な配慮からカザフスタンへ送られたが、それでも高邁で途方もない理想を最後まで失わず、その地で一〇年にわたってつらい放浪生活をしたあげく、亡くなった。

孤児院にはいることになったヤーシャは、生に対する執着がずばぬけて強かったのだろう、精神と肉体をゆっくりと死に追いやるために特別に設けられているとしか思えないような条件のもとでも生きのびることができ、自分の置かれた状況を最大限に利用する能力を発揮して、そこから抜けだしてきた。

彼女のグレーの瞳と、高くつりあがった眉と、猫のように優しげな口もとを目にすると、私を守って、と頼まれているような気がしてくるのだが、実際にも、守ってやろうという人がかならずあらわれるのだった。庇護者になるのは男性も女性もいたが、自然のなりゆきからして、ヤーシャは男性のほうが好みで、小さいころから男たちと渡りあう安上がりの方法を身につけていた。

最近の庇護者のひとりは、孤児のために開かれているとんでもない職業学校にはいってしまったヤーシャが、計画的な脱走をしたあと出会った四〇がらみの太ったタタール人ラヴィリで、ヤーシャを案内してモスクワのカザン駅まで連れてきてくれたのだが、ヤーシャのほうはここから心機一転、巻き返しをはかろうという心積もりだった。チェックの買い物袋の脇ポケットにはいっているのは、これより少し前に彼女の名前で発行された身分証明書(校長室からこっそり盗みだしたもの)と、オレンブルグに近づいていたころ眠っているラヴィリから失敬した、改革以前の二三ルーブリ。この金を抜きとるときヤーシャの手がひりひり痛まなかったのにはふたつの理由がある――分厚い札束のほんのわずかしかとらなかったということと、四日間の旅のあいだに充分それに見合うだけの働きをしたと感じていたことである。

ラヴィリは途中で盗みにあったことにも気づかなかったばかりか、いっしょにカザフスタンに帰ると約束したのに一昼夜たっても彼女が七号車に戻ってこなかったときは、ひどく悲しんだ。

ついこの間までこんな単純なお馬鹿さんだった自分だけれど仕方ないから許してやろう、とでもいうような微笑を浮かべて、ヤーシャがターニャに話して聞かせたのは、カザン駅の公衆トイレの洗面台で灰色の旅行用タオルを水で濡らし、この悪臭のたちこめる場所に次々とあらわれるアジア系の女性たちがあっけにとられて見守るなか、一糸まとわぬ姿になって、頭のてっぺんから足の先までごしごし拭き、こういうときのためにと、二枚の新聞紙にくるんでだいぶ前から大事にしまっておいた襟にフリルのついた白いブラウスを、例のチェックの買い物袋から取りだして着替え、さびついた金網のゴミ入れにタオルをぽいと捨てて、いざモスクワ征服に乗りだすべく、まずは行きあたりばったりだったが、三つの駅が隣り合わせになっている名高い広場に行った、という顛末である。

チェックの買い物袋にはいっているのは、ズボン二本、汚れた青いブラウス一枚、白分の手で詩を書き写したノート、有名俳優のポートレートつき絵葉書の束。ヤーシャは鼻っぱしが強く、頭の回転がはやく、そしてじっさい信じられないほど単純だった——映画女優になることを夢見ていたのである。

そんなこんなで、プロの娼婦になるほかないような状況だったのだが、そういうことにはならずにすんだ。

モスクワに二年いるあいだに、ヤーシャはかなりいろいろなものを手に入れた——今では一時滞在用の居住証明書も持っているし、学校の物置を仮住まいの場にして、この学校で掃除婦をさせてもらっているし、ときどき中年の警務主任で赤ら顔の庇護者マリーニンが立ち寄っていくが、このような一時的な運命の贈り物を得られたのはすべてこの男のおかげだったからそれも仕方なかった。マリーニンは来ても長居しないのでヤーシャにはたいした負担にならないし、マリーニン自身もヤーシャの物置を訪ねることにさほど執着しているわけではない。しかし、勇んで賄賂をとったり強請《ゆす》ったりするのが好きなたちの男で、ヤーシャからはまったく金目のものを期待できなかったので、いきおい、提供されるものを頂戴しているだけだった。

こんなふうにヤーシャが自分の来し方をターニャに話して聞かせたのは、ほかでもない、この物置のなか、うまい具合にベッド代わりにしている体操用のマットの上だった。ターニャは、同情と、嫉妬と、自分がやるせないほど恵まれていることに対する恥ずかしさの入りまじった複雑な思いを抱いて、ヤーシャの話を何もかも心に深くきざみつけた。ヤーシャのほうは、自分のことを詳しく、正確に、淡々と、おぼえているかぎりすべて語りつくしたあげく、自分の体験したことをとつぜん一歩引いて脇から眺めることになり、それがどうしようもなく嫌で嫌でしかたなくなったので、以後、ほんとうのことはもう二度とだれにも打ちあけなくなった。自分のことを話すときは、好きなように過去を作りあげ、祖母は貴族で、ポーランドに領地があり、フランスに親戚がいることにしたが、そういったものは、ヤーシャの人生のここぞという場面になると、まるで悪魔が箱から飛びだすように、都合よくひょっこりお目見えするのだった……。

ヤーシャの物置のほかに、学校には、人の住んでいる部屋がもうひとつあって、そこは戦争未亡人でロシア語・ロシア文学のタイシヤ・セルゲーエヴナ先生が使っていた。マリーニンがヤーシャのところにやって来ることを、タイシヤ先生は忌み嫌っていたけれど、だからといって、ヤーシャに自分の幼い子供たちを預けて面倒を見てもらったり、いろいろな洗い物をしてもらったりするのをやめようとはしなかった。こんなふうに近所のよしみで家事を手伝うかわりに、ヤーシャは、先生の本棚を自由に使わせてもらい、文学の授業に出なくていいことになっていた。先生にとっては、授業をしているあいだもヤーシャがベビーシッターをしてくれるほうがありがたいのである。

仕事の時間が終わると、ヤーシャは汗くさい体操用マットに寝転んで、クルィローフの寓話を諳んじるのだが、クルィローフというのは、どんな時代でもこれだけはおぼえていなければどこの演劇学校にはいることもできない、という必読書だ。クルィローフの寓話を諳んじるのでなければ、シェイクスピアの第一巻から最後の巻まで、女性の役をすべて——プロスペローの娘ミランダからペリクリーズの娘マリーナまで——悲劇的な芝居がかった調子でぼそぼそと朗読しているか、どちらかだった。

夜間学校の教師たちは、夜間の生徒を教えているだけでなく、昼間は小さい子供たちを相手にしていて、昼ごろまでにはもうへとへとになってしまうので、夜間の生徒たちをあまりぎゅうぎゅう勉強で苦しめようとはしなかった。それに、クラスの生徒の半分ほどは、近くにある警察の寮に住んでいる若い男たちで、彼らは薄暗い教室にすわり、疲れてうとうと居眠りをして、成績はせいぜい「可」といったところなのに、うまいことどこかに進学していき、法律家をめざす者もいれば、党の路線に沿って進む者もいる……。というわけで、学校机が身長に見合っているのは、このクラスではただひとりヤーシャだけで、ほかの「生徒」たちは、子供を苦しめるために特別に考案されたようなこの木製の作業台に身を押しこんで、さも窮屈そうにしていた……。

おてんばで奔放なターニャは、しつけられていない子馬のように勝手気ままに騒々しくふるまっていた。机に固定されている二人がけの腰掛に、ターニャがどすんと腰をおろすと、その振動で、ヤーシャの頭が軽く飛びはねてしまうほどだった。ヤーシャ自身は、音もたてずに机の上板をあげ、お尻をすべらすように優しく動かして、机から出る。狭い通路を黒板のほうへと向かうのに、下半身が上半身よりほんのわずか遅れ気味であるかのように、一歩うしろになった足を少し引きずるようにし、その足は一瞬つま先立ちで動かなくなるのだが、膝の使い方も変わっていて、まるで着古したスカートではなく、長い夜会服の重い生地を膝で押しているように歩くのだった。それに、ウェストのくびれがまた一種独特だし、ヤーシャの体は、それぞれの部分が独立した動きをしている——バストはそっと遊んでいるし、お尻はゆらゆらしているし、くるぶしは独特の振れ方をしている——のだが、これらすべてが一体になると、それは男に媚を売る完成された技法というのではなく、女体がかなでるすばらしい音楽となって、人々の注目と賞賛を呼ばずにはおかないのだった。火薬の爆発で火傷を負い、そのこまかい痕が大きな顔に黒く点々と残っている、そう若くもない、三〇歳ほどの警官チュリーリンなど、ヤーシャのうしろ姿を目で追って、頭を振り振りつぶやくのだった。

「なんと……ムムム……」

このうなり声がいったい何をあらわしているのか──不快感なのか、それとも歓喜なのかはわからない。でもヤーシャは、そんなことはどこ吹く風で、思いどおりにふるまっていたので、チュリーリンがうなり声をあげた以外には、警官たちももう騒ぎたてなかった。

ターニャは家に帰る途中、夜の公園でいつも闇にまぎれてその歩き方をまね、膝や腰や肩を動かしてなんとかヤーシャの音楽を再現しようとした──首を上にのばし、片足を引きずり、お尻をふる。でも、背が高すぎて猫背になってしまい、ヤーシャのようにゆらゆらと魅力的にはいかないように思える。「ヤーシャには妖精みたいなところがあるんだ」とターニャは思い、歩き方ともバレエともつかない練習に疲れると、やたらに長い足をめちゃくちゃに踏みだし、右手と左手を交互にちぐはぐな手旗信号のようにして、顔を振りあげ、夜の霧をいっぱい吸いこんだ髪をうしろになびかせながら走って家に帰るのだが、ちょうどそのころ娘を迎えにちょくちょく公園にやってきていたロベルト・ヴィクトロヴィチは、娘の姿を目にして、ああ、あれはターニャの歩き方だとか、てんでばらばらな動作にあの子の性格がそのままあらわれている、などと思うと、頭半分も背の高くなってしまった娘の持つエネルギーとわけのわからない言動に、思わず頬がゆるんでくるのだった。

父も娘もこの夜の公園を愛しており、言葉をかわさなくても互いに理解しあっていることや、ソーネチカに対する無言の示しあわせがこっそり確かめあえることを、大切に思っていた。父親は生来の思いあがりから、娘は若さと親譲りの気質から、ふたりして、われこそは選り抜きの主知主義の代表だと任じており、食べ物だ、家事だといった「低俗」なことはみなソーネチカに押しつけていたのである。

でもソーネチカは、自分の境遇を嘆こうとか、天上のものを妬もうなどとは思いもよらなかった。ただ淡々と、皿や鍋をみがいたり、姉の持っていたエレーナ・モロホヴェツの本から、紫色のにじむインクで書き写した調理法を見い見い一生懸命料理を作ったり、洗濯物を入れた水槽に湯をわかし、黄ばみをふせぐために下着類を蛍光染料でうす青く染めて糊づけしたりするのであり、そんなソーネチカの大きな背中のうしろから、ロベルト・ヴィクトロヴィチはときどき、青い染料や麦粥《カーシャ》、うすく切った洗濯石鹸、インゲンを注意深く眺めては、持ち前の鋭い観察力で、ソーネチカの家事はものをつくりだす行為に似ていてつくづく芸術的だし、とても理性的で美しい、と感じていた。彼はつかのま「ありがたや、ありがたや、アリ社会のありようは……」などとおかしなことを思い、あたたかいテラスに通じるドアを閉めるのだが、そのテラスには、肌理《きめ》の粗い紙、鉛白、その他きびしい修業に用いられる若干の品々がとりそろえてあった。

ターニャは、母親の台所生活どころではなかった。というのも、今や恋という霞のただ中にいるからだ。朝起きてもそのまま長いこと目を閉じ、素敵な夢物語を考えては、その中にいるヤーシャの姿や、ヤーシャと自分の姿を思い浮かべた――たとえば、ふたりで白い馬にまたがり青々とした草原を駆けぬけていくところや、ふたりで地中海をヨットで航行しているところを。

ターニャはそれまで、自然が与えてくれた神聖な器官に対して、自由気ままで無遠慮なほどの態度をとっていたが、いまや一変してしまい、本能が少しばかり道に迷ったとでもいったらいいのか、格好いい男の子たちと楽しく肉体的な満足を分かちあいつつも、精神的には次元の高い交流、結びつき、融合に憧れ、境界もなければ向こう岸もないような相互関係を夢見るようになった。ヤーシャを選んだのは彼女の精神だったのであり、ターニャは、この選択がいかにすばらしいものか、理性をふりしぼって証明しよう、合理的な説明をしようと試みた。

「ああ、ママ、ヤーシャは弱くて空気みたいに軽く見えるんだけど、ほんとは強いの、ものすごく！」ターニャは心を奪われたようにうっとりと、母に、新しい女友達のこと、過酷な孤児院時代のこと、脱走しては殴られ、また脱走をくりかえしたことなどを話した。ヤーシャがターニャに自分の生い立ちを打ちあけたとき、生まれつきの用心深さから、いくぶん省略したところがあった——母親が流刑されたことや、安価な児童売春にたずさわってきたこと、小物をくすねるクセがすっかり身についてしまっていることなどである。

しかしソーネチカは、聞いた話だけでもう充分ヤーシャの幼い心の苦しみに同情し、ターニャの話していないことにまで思いをめぐらしていた。「かわいそうな、なんてかわいそうな子」とソーネチカは心のなかで思った。「私たちのターニャだって同じような目にあっていたかもしれない、あんなにいろんなことがあったんだもの……」

そして、これまでに家族が死にそうになったとき神様が守ってくださった出来事をいくつもいくつも思い出していた——ロベルト・ヴィクトロヴィチがアレクサンドロフの電車の車両から投げだされたこと、ソーネチカの働いていた建物の梁がくずれ、そのほんの少し前に脱出した部屋は、半分が黒い古びたレンガで埋もれたこと、虫垂炎が化膿して病院のベッドでソーネチカが死にそうになったこと……。「かわいそうな子」とソーネチカはため息をつき、いつしかこの見知らぬ女の子の姿がターニャの面影と重なっていった。

＊

お客を招待して新年を祝う日まで、ターニャはどうしてもヤーシャを家に呼ぶことができなかった。ヤーシャは、いつも肩をすくめて断わるばかりで、どうしてそれほど頑なに断わるのか、理由は教えてくれなかった。

じつは、もうだいぶ前からヤーシャは、ターニャの家が自分の将来にとって大事な場所になるような、おぼろげではあるが強い予感にとらわれていて、ターニャの家にどんな期待をかけていいのかはかいもく見当がつかないまま、決戦を目前にひかえた司令官さながら、ひそかに、そして入念に、準備を進めていたのである。

ニキータ門の近くにある、洋服の生地を売っている店で、ヤーシャは、触ると冷たい感触なのに見た目には熱くて火傷でもしそうな色の、琥珀織りの布地を買ってきて、毎晩遅くまで、こまかいステッチで晴れ着を手縫いで作っていた——まだ生まれてもいない赤ちゃんの洋服を前もって縫っておいたりしたら、迷信に言うとおり、赤ちゃんがこの世に生まれてくるのを邪魔してしまうんじゃないかしら、と案ずる妊婦のように、少し心配しながらも、ひとりぼっちの静かな夜、わき目もふらず祈るように縫った。

ヤーシャは大晦日の午後一時過ぎにやってきて食事の用意されたテーブルについたが、そこには、バルビゾン派の画家も、詩人も、ついでに鳥のくちばしみたいな鼻とカエルみたいな口の演出家までそろっていた。そこにいる重要人物たちの顔をまだきちんと見分けることもできなかったが、標的の中心に来あわせたことがわかって期待はますますふくらみ、ヤーシャは内心、小躍りして喜んだ。

この人たちこそ、ここにいる一人前の大人の男たちこそ、助走のために、離陸のために、そして最後に完全な勝利をおさめるために、役に立つ人たちよ。

ヤーシャが、感謝に満ちた優しげなまなざしをターニャのほうに向けたので、それに応えてターニャは、薄化粧した頬を輝くばかり幸せそうに、バラ色に染めた。ターニャは、ヤーシャがきてくれるのかどうか、最後の最後まで自信がなかったのだが、今は、まるで自分がヤーシャを考えだして絵に描いたみたいに、ヤーシャの美しさを誇らしく思っていた。

ヤーシャのドレスは、絹のような衣ずれの大きな音をたて、重たげな亜麻色の髪は、澄んだ樹脂を鋳型に流しこんだようにみごとにまとまり、厚ぼったく肩にかかっていて、その年流行した映画『魔女』に出演したマリーナ・ブラディの髪型そっくりだった。ドレスの襟が深くあいているので、山羊のようなバストが左右互いに押しあって下のほうへとやわらかい谷道をつくっているのが見え、ウェストはただでさえ細いのに、さらにぎゅっと締めつけているため、ワイングラスを思わせ、しっかり締まったふくらはぎの下の足首は細く、腕がいくぶんふっくらしているので手首がよけいか細く見える。ギターのようなお粗末さじゃなくて、小さな盃のガラスのような愛くるしさだ、とロベルト・ヴィクトロヴィチは心の中でちらっと考えた。

ソーネチカは少しがっかりしていた。娘の親友がむごい運命にもてあそばれてきたと聞いて、本人と会う前から同情していたとはいうものの、想像していたのは薄汚れた格好の灰かぐら姫のような女の子で、まさか着飾って、アイシャドウもして、こんなに気高いスラヴ的な魅力を発散している美女を目にしようとは思ってもいなかったからだ。

ヤーシャは質問されると手短に答えたが、だいたいは目を伏せていて、マスカラで重くなったまつ毛を持ちあげるのは、「いいえ、けっこうです、ありがとうございます、はい……」とのたまい（そう、まさに「のたまう」という感じなのだ）、しかも亡くなった自分の母がそうしていたのと同じく、従順そうな女王のような抑揚をつけるのだった。言葉数が少ないとはいえ、敏感な耳の持ち主なら、ヤーシャの答えに、vとlがくっつくポーランド訛りを聞きとることができるだろう。

ソーネチカは胸がいっぱいになり、ヤーシャの皿に食べ物を足してやる。するとヤーシャは溜め息をつき、いったんは断るのだが、しばらくしてから結局は、鴨の脚も、さらに煮こごりも、カニサラダも、きれいに食べきるのだった。

「もうこれ以上いただけません、ありがとうございます」うっとりするような、ほとんど哀れっぽい声でヤーシャは言い、ソーネチカは、やはりヤーシャをかわいそうに思う気持ちを自分の心から追い払うことができなかった――この子が孤児だなんて、かわいそうな子、孤児院にいたなんて……。神様、いったいどうしてそんなことがありえるのでしょうか……。バルビゾン派の画家アレクサンドル・イワーノヴィチは、すでに聖職者のような暗い声でイタリア語のオペラのアリアを歌い、酔っ払ったガヴリーリンは、小犬がノミを探すときの様子を、とてつもなく面白おかしく真似てみせた。目をきょろきょろ動かし、憎らしそうに唸ったかと思うと、いかにも嬉しそうにクンクンいい、頭を脇の下に入れて、腹の皮がよじれるほどみんなを笑わせた。ロベルト・ヴィクトロヴィチも笑いながら、ときおり、目と、新しくしたばかりの差し歯をふたつながら金属のようにきらめかせていた。

二時をまわったころ、ターニャを熱烈に崇拝しているアリョーシャ・ピーテルスキーが、将来、名声をとどろかすにちがいないといった雰囲気をただよわせ（その名声が自分にふさわしいものかどうか、彼はもう測っていた）、灰色の草のはいった小さな袋を持ってやってきた――アリョーシャは、ペテルブルグのネフスキー河岸で、いち早くアジア産麻薬の愛好家になったひとりである。遠慮する様子もなくギターのカバーをとると、すさまじい形相で、芝居小屋の役者さながらの口をペトルーシカのように大きくあけて、気の利いた哀しい歌や、おどけた歌を数曲うたった。

アリョーシャはターニャに恋し、ターニャはヤーシャに恋していたが、ヤーシャはこの新年の祝いの夜、ターニャの家に恋をした。夜明けがた、客がそれぞれ家路につき、ターニャとヤーシャがテーブルの後片づけを手伝い終わると、ソーネチカは、がらんとした角の部屋にヤーシャを泊まらせたので、昼ごろ、グレーの紙ロールを一巻き探しに行ったロベルト・ヴィクトロヴィチが、その部屋にいるヤーシャの姿を目にすることになった。

家のなかは静まりかえっている。ソーネチカは、客が汚したあとを掃除して姉のところに行ってしまっていたし、ターニャは自分の部屋で寝ていたのだが、ドアのきしむ音に気づいたヤーシャは、目をあけて、ロベルト・ヴィクトロヴィチが戸棚の奥をひっかきまわし、小さな声で毒づいている様子を、かなり長いあいだ見守っていた。その間ずっと、うしろ姿を見つめながら、アメリカの俳優に似ているけれど、なんていう俳優だったかしら、と思いだそうとしていた。ポーランドの雑誌『芸術展望』で、同じような顔、同じような銀髪のビーバー刈りを見たことがあるのだが、これはヤーシャがすみからすみまで読みこんでいる雑誌だった。俳優の苗字はどうしても思いだすことができなかったが、そのアメリカ人の着ていたシャツまで、同じような大柄のめずらしいチェックだったような気がしてきた。

ヤーシャは起きあがってベッドにすわった。ベッドが、ぎいっときしんだ。ロベルト・ヴィクトロヴィチが振り向いた。ソーネチカのぶかぶかのネグリジェから短い首がのぞき、その上の小さくて晴れやかな顔がじっとこちらをうかがっている。女の子は自分の唇をなめ、にっこり笑って、ネグリジェの袖をひっぱると、いとも簡単にネグリジェの襟ぐりから抜け出てしまった。片足を動かして布団を床に落とし、すっくと立ちあがると、大きすぎるネグリジェはするするとすべり落ちた。ヤーシャは、ペンキの塗ってある冷たい床を、子供のように小さな足でぺたぺたとロベルト・ヴィクトロヴィチのほうに走り寄り、ようやく探しあてた紙ロールをその手からとりあげて、ロールと自分とを交換するような感じで、彼の腕のなかにおさまった。

「一回だけ、急いでね」美しい妖精は、庇護者の警官マリーニンにふだん言っているように、色気もなにもなく事務的に言った。でも、マリーニンにこういうことをするのは、それなりの理由あってのことだが、ロベルト・ヴィクトロヴィチにこう言ったからといって、利益になるわけでもなければ、打算がはたらいたわけでもない。自分でも、どうしてこんなことをしているのか、ヤーシャにはわからなかった。この家に対する感謝の気持ちから……。それから、この人がアメリカの有名な俳優にとてもよく似ているから。

ピーター・オトゥールっていうんじゃなかったかしら……。

ところで、感謝と思いやりの印として「恩恵」を施してあげましょうという申し出があった場合、男がそうした恩恵を断わることもありえる、ということを、ヤーシャはただ思ってもみなかっただけなのだ。このうえなく白くてあたたかい木を旋盤で切りとったみたいな、小柄なヤーシャは、その晴れがましい小さな顔をロベルト・ヴィクトロヴィチに向けた。

彼は戸棚のほうにちょっとあとずさりし、きびしい口調で言った。「早く布団に戻りなさい、風邪をひくじゃないか！」そして、紙ロールを置き忘れたまま、部屋を出ていった。こんな月のようなまばゆさ、こんな金属のようなまばゆさを具えた肉体は、これまで一度も見たことがない。

ヤーシャは、まだ冷えきっていない布団にくるまると、いくらもたたないうちに、また眠っていた。いかにも楽しそうな寝顔だが、眠っているあいだもヤーシャは、この家庭的な家でこんなふうに家庭的な寝心地のよさを味わっていることを忘れてはいなかったし、ソーネチカに借りたネグリジェも、もう身につけてはいなかったが、頬の下で天国のようなかぐわしい香りをただよわせていた。

いっぽう、ヤーシャの行動が胸にぐっときたロベルト・ヴィクトロヴィチは、となりの部屋を歩きまわりながら、身をちぢめたり、顔をあちこちに向けたりしていた。窓の外では、あけたばかりの新年が早くもたそがれようとしているというのに、ソーネチカはまだ家に帰ってこず、ターニャが階段をきしませて下りてくる気配もない。それでロベルト・ヴィクトロヴィチは、角部屋のドアを用心深くあけ、ベッドのほうにそっと近づいていった。女の子は、ほとんど頭まですっぽり布団をかぶっていて、亜麻色のうしろ髪だけが外に出ていた。彼は、小高くなっている布団の下に、かさかさした手のひらを入れた。ヤーシャの眠りに彼の手が介入しても、その眠りを引き破ることはなかったし、なにも壊しはしなかった。ヤーシャは彼の両手のほうに体の向きをかえた——このときからロベルト・ヴィクトロヴィチには、もうひとつ新たな生、最後の生がはじまったのだった。

＊

新年の本格的な寒さが、夜にかけてますます厳しさを増した。テーブルの上には、もう「去年」になってしまった昨日の食べ残しがちらかり、少しひからびはじめている。

前日の残り物には不快感をもよおさせられるので、ロベルト・ヴィクトロヴィチは食べなかった。過越《パスハ》の節の食べ物をこんなふうに恥さらしにさせまいとして、賢明なユダヤの先祖たちは、過越《パスハ》の節の食べ残しを燃やしたんだ、と思った……。

ソーネチカは、砂糖のはいっていない紅茶をスプーンで意味もなくかきまぜながら、夫に大事なことを切りだす頃合いをずっと見はからっていたのだが、それにふさわしい言葉を思いつかないでいる。

ロベルト・ヴィクトロヴィチは、物思わしげな顔つきで、自分の老いさらばえた骨の髄に感じられる幸福などよめきの低いこだまを耳にとらえ、これと同じようなことをいったいいつ体験したのだったか思いだそうとしていた……。なにか思いだせそうだというこの奇妙な感覚は、どこからきているのだろう……。これと似たようなことがなにか子供時代にあったのかもしれず、そうだとしたら、それは、ドニエプル川の重たい水のなかで思う存分トンボ返りをしてから、さくさくいう熱い砂にあがり、今度は砂のなかにもぐって、骨に甘いこだまが聞こえてくるまでこの砂風呂で体をあたためたときのことではなかったか……。それから、なにか子供時代のまぶしいほどの輝かしさに似たものだとしたら、それは、夜中、小用をたしに外に出た幼いルヴィムが（アヴィグドルの息子ルヴィムが、数年してロベルト・ヴィクトロヴィチと名のるようになる）、頭をそらして上を仰ぎ見てみると、宇宙の星がみな、興味津々といったふうに目を輝かせて自分を見おろしており、静かな鐘の音がつぎつぎに鳴りわたって、ひだのあるマントのように空をおおい、まるで小さなルヴィム少年が世界の糸をすべて手に握り、一本一本の糸の先で小さな鐘がりんりんとよく響くこまかい音をたて、そして少年がこの巨大なオルゴールの心髄そのものであり、この世のすべてが、少年の心臓の鼓動、一回ごとの呼吸、血液の流れ、あたたかいおしっこの流出に合わせて素直に応えているかのように思えた、あのときのことだろうか……。少年はまくりあげたパジャマをおろし、天上のオーケストラを指揮するかのように、ゆっくりと両手をあげた……。すると音楽が体を突きぬけ、甘やかな波となって骨の髄に響きわたったのである……。

この音楽のことはきれいさっぱり忘れていたけれど、その場面の思い出だけは、何年たっても消えることはなかった……。

「ロベルト、あの子をうちに住まわせてやりましょうよ。角の部屋は空いているんだし」スプーンをカップに入れて、ソーネチカが小さな声で言った。

ロベルト・ヴィクトロヴィチは驚いたまなざしで妻を見つめ、それから、自分にあまり関係のない話題になるといつも口にするありきたりのセリフを言った。

「そうすべきだと思うのならね、ソーネチカ。そうすべきだと思ったら、そのとおりにすればいい」

そして自分の部屋に引きあげていった。

＊

ヤーシャがソーネチカの家に引っ越してきた。無口で愛らしいヤーシャが家にいるのはうれしいことだし、ひそかに自尊心のくすぐられる思いもする——孤児を引きとるというのは、これは「ミツヴァ」といって善行であることはたしかだが、年をとるにつれて自分の内にユダヤ的なるものをますますはっきりと感じるようになっていたソーネチカにとっては、同時に、喜びでもあり、楽しく義務を果たすということでもあった。

ソーネチカの脳裡に、土曜の安息日にまつわる記憶がよみがえってきて、秩序と儀式をきっちり守っていた先祖たちの生活がしきりに恋しく感じられるようになり、そうした生活にゆるぎない基盤があったことや、重たげな脚のついた頑丈なテーブルにごわごわした安息日用のテーブルクロスがかかっていたこと、ろうそくと自家製のパンがあったこと、土曜の前夜というと、どこのユダヤ人の家でも家族ごとの秘蹟がおこなわれたことなどが、なつかしく思いだされた。ソーネチカは、こうした古い生活習慣からかけ離れて暮らしてきたので、肉や玉ネギやニンジンといった七面倒臭い台所仕事だの、ごわごわの白いナプキンや食卓をきちんと整えるだのといったことに、正体不明の、宗教的ともいえる情熱を注いでいて、テーブルに調味料入れやナイフ立てや皿を、右からも左からも、決められたとおりに並べるのだが、それは、ユダヤ古来の風習とはまったく別の、新しいブルジョワ流儀だった。もっとも、そんなことにソーネチカが思いいたるはずもなかったけれど。

ここ数年来、比較的暮らしが楽になってからというもの、ソーネチカは急に家族が少なすぎると思うようになり、一族はおしなべて子沢山なのに、自分だけがそういう巡りあわせになっていないことを、ひそかに嘆くようになっていた。まるで娘のターニャに将来、子供がたくさん授かるものと見越して、そのためでもあるかのように、ソーネチカは、少し欠けているクズネツォフ製のソース入れセットやら、イギリス製の陶器の皿やらを、ニージニャヤ・マスロフカ通りの委託販売店で、次から次へと安く買いそろえていた。

　ソーネチカの宗教は、聖書と同じく、三つの部分に分かれていた。ただし、トーラー（律法の書）、ネビイーム（預言者の書）、ケトウビーム（諸書）ではなく、食事の第一のコース（スープ）、第二のコース（肉、魚）、第三のコース（デザート）だった。

　ヤーシャがテーブルにいると、ソーネチカは家族がふえたような錯覚をおぼえ、ヤーシャがいるだけで食卓がひきたった――ヤーシャのふるまいはそれだけ自然で感じよかったということだが、少食のように見えて、じつは食欲旺盛、おかしなほどたくさん食べて苦しがっているのは、幼いころいつもおなかをすかしていた記憶がどうしても消えないからである。椅子の背にもたれかかって、小さな声でうめくように言う。

「ああ、ソーニャおばさん！　とっても美味しかった……。また食べすぎちゃった……」

　ソーネチカは、幸せそのものといった顔でにっこり笑い、果物の砂糖煮《コンポート》を盛った浅めのガラス製ボウルをテーブルに置くのだった。

＊

二ヵ月が過ぎた。ヤーシャは猫のように順応性があり、生まれながらのデリカシーも持ち合わせていたので、ただ角部屋を使わせてもらい居候しているというのではなく、半ば家族の一員のような存在になっていた。

朝早く学校に出かけ、ざらざらした廊下やびしょ濡れのトイレを清掃し、夜はターニャといっしょに、その同じ学校の授業に通った。ときには寝ぼけた教師のおそまつな授業をさぼって学校に行かないこともある。ヤーシャとターニャは姉妹のような関係におちつき、年齢からすればターニャのほうが年下なのだが、ヤーシャが越してきてからというもの、ターニャは姉の役を任じるようになり、ヤーシャに対する恋心も以前ほど激しく切ないものではなくなっていた。

ふたりは、よく日当たりのいいターニャの部屋に入りびたった。ターニャは蓮のような格好でどっしりすわり、なんともおぼつかない曲をフルートで吹き、ヤーシャは、その足元に体をまるめてうずくまり、こころもち舌足らずの発音で、オストロフスキーの古くさい戯曲をぼそぼそ朗読する。演劇学校にはいるための受験勉強だった。

ヤーシャがたいへんな本好きなので、ソーネチカは感心していた。それだけでなく、つられてターニャも教養を高めているような気がしていた。この点はソーネチカの思いちがいだったのだけれど。

ふたりが何かおしゃべりをするとき、ヤーシャはたいてい礼儀正しい聞き手の役に甘んじていた。ターニャの恋の冒険物語をあれこれ聞いても、たいした興味も感じなければ、心から共感することもない。この友達のように恋に夢中になったことなど、ヤーシャにはこれまで一度もなかったのだが、ターニャのほうはそこを勘ちがいしており、ヤーシャが無関心なのは、数限りなく恋愛を経験していて、それにくらべて自分の体験が取るにたらないせいだと思っていた。まさかヤーシャが、男にもセックスにもまるで興味を持たない体で、一二歳のときから数えて今はじめて「男のいやなモノ」を自分の体に入れなくてすむようになってせいせいしている、などとは思いもよらなかった……。

＊

ロベルト・ヴィクトロヴィチは、ヤーシャが家にいることに、ほとほと困りはてていた。元旦の、日の暮れかかった角部屋での出来事を思いだすと、幻惑だったか、他人の夢をのぞきこんだのだったかと思えてくる。いまは、視界のはしにヤーシャの姿をちらりととらえるだけだが、彼女のおだやかな白さを目にするたびに、ひそかな喜びを感じ、若々しい情熱の炎を燃やしていた。ヤーシャに近づくような素振りは一切しなかったけれど、それは、つまらない倫理観にしばられていたからではない。情欲はたしかに自分のものではあっても、女は自分のものではなかったし、それよりなにより、ソーネチカの世話になって娘と同じ禁断の地位を占めている女が自分のものになりえるはずがなかった。

彼はときどき窓の外に目をやって、光の具合や湿気によって微妙に変化する白い雪を眺めたり、陶器でできている水差しの溶けるような白い地肌や、テーブルにのっている粒子のあらいワットマン紙の切れ端を観察したり、古いレリーフのほどこされたくすんだ白い石膏を見つめたりしていた(そのレリーフには、かろうじて古代アルファベットの文字かと思えるものもある)。

それから二ヵ月が経とうというころ、ロベルト・ヴィクトロヴィチはふたたび絵筆を握るようになった——収容所でデッサンの練習をし、退屈なばかりのくだらない代物を気まぐれに模写していたときから、二〇年の歳月が過ぎ去っていた。

今回ロベルト・ヴィクトロヴィチが描いたのは何から何まで白い静物画数枚で、そこには「白」の本質について、フォルムについて、絵画の基礎を左右する質感《ファクトゥーラ》について、それまで彼が苦労して考えてきたことがいろいろ映しだされていた。彼の考えたことを表現するもの、言語媒体となっているのは、陶器の砂糖入れ、枡織りの白いタオル、ガラス壜にはいっているミルクなどだった。それから、ふだん白いと見なされているもののなかで、理想や神秘を追求する彼がこれぞ茨の道だと思うものも、すべて表現媒体になった。

冬が動きだし、ペトロフスキー公園の壮麗だった雪も色あせ縮んでしまったある日のこと、朝早く、偶然ロベルト・ヴィクトロヴィチとヤーシャが同時に玄関ポーチに出たことがあった。ロベルト・ヴィクトロヴィチはカンバスの木枠とクラフト紙のロールを一巻き手にしており、ヤーシャは赤い布のバッグを持ち、そのなかで夜間学校用の教科書が二冊ゆれていた。

「ちょっと持っていてくれないか」ロベルト・ヴィクトロヴィチはヤーシャの手に紙ロ

ールを押しこみ、ぼんやりとながら、前にどこかで同じようなことがあったような気がしていた。

彼が、運びやすいように木枠を持ちかえているあいだに、ヤーシャは大急ぎで紙ロールを自分のほうに引き寄せた。

「運ぶの、お手伝いしましょう」ヤーシャは目をあげずに言った。

ロベルト・ヴィクトロヴィチが黙っているので、ヤーシャが首をあげると、ひとつ屋根の下でいっしょに暮らすようになってはじめて、彼は鋭いまなざしでヤーシャのおだやかな瞳の真ん中を射抜くように見た。彼はうなずき、彼女はわかりました、というふうに頭をさげ、そのまま白い綿毛のスカーフに首を埋め、彼のあとについてその足跡を子供用ゴム靴で踏みしめながら、魅惑的な足どりで歩きはじめた。

たいして長くはない道のりのあいだ、ロベルト・ヴィクトロヴィチは一度も振りかえらなかった。ふたりはそのまま前後にならんで、美術家同盟の所有する高層ビルの表玄関まで歩いた。その建物は廊下が長く、ドアとドアが隣り合っていて、そこにアトリエを持つ御用芸術家たちは、禿頭の「思想の巨人」をかたどった、かさばる胸像をときどきわびしい廊下に運びだしては、儲けのいい社会主義芸術をこつこつと実直につくりあげている……。

ロベルト・ヴィクトロヴィチは、記念建造物《モニュメント》の花崗岩の側面に背をもたせかけ、ぎこちなく片足でドアを支えて、ヤーシャを先になかへ入れてやった。ばたんと音をたててドアがしまったとたん、彼は強くひびく鼓動を感じたが、胸ではなく、どこか腹の奥で鳴っているような気がした。鼓動は、太陽が水平線からのぼるように、ロベルト・ヴィクトロヴィチの体をのぼってきて、今では頭やこめかみや指の先にまで海のどよめきを響かせていた。持っていた木枠をたてかけ、ヤーシャの手から紙ロールを受けとった。そのとき、同じようなことがいつあったのだったか、ロベルト・ヴィクトロヴィチは思いだした。

彼は、ヤーシャの湿り気をおびたスカーフの綿毛に手を置いてほほえんだが、ヤーシャは、ソーネチカといっしょに古い肩掛けをほどいて幾晩もかけて作った手縫いのコートの大きなボタンを、もうさっさとはずしはじめていた。その年は、洋服に大きなボタンをつけるのがとつぜん大流行した。それで、スカートにもブラウスにも、白や茶色のボタンが無数についていたのだが、彼女はコートを脱ぎ捨てると、考え深そうな真剣そのものといった顔つきで、きちんとかがってあるボタンホールからどんどんボタンをはずしていった。

心臓の音は、やがて警鐘ほどの威力で響くようになり、毛細血管のすみずみまでいきわたったが、突如いっせいに鳴りやんで、まばゆいほどの静けさがおとずれると、ヤーシャが引きしまった足をお尻の下にしてこわれた肘かけ椅子に正座し、それからゴムで結わえてポニーテールにしてあった髪をほどいて、じっと待っているので、ぼおっとしていたロベルト・ヴィクトロヴィチははっと我にかえり、ほんのわずかな取り分を頂戴したのだが、ヤーシャにとってそれは惜しくもなんともなかった……。

その日を境に、ヤーシャは毎日アトリエに行くようになった。ふたりのロマンスは情熱的で、奇妙な沈黙に包まれていた。たいてい、ヤーシャはやってくると、これぞと選んだ例の肘かけ椅子にすわって、髪をほどく。ロベルト・ヴィクトロヴィチはレンジにやかんをかけ、濃いお茶を淹れ、ホウロウ引きの白いカップに角砂糖を五つ入れてやり（ヤーシャは、孤児院にいたときの記憶がしみこんでいて、甘いものはどんなに食べても食べたという気がしないのである）、それから白い陶器の砂糖入れを彼女の前に置く。というのも、ヤーシャは砂糖のはいった紅茶を飲みながら、さらに砂糖をかじるからだ。

ヤーシャがそのシロップのような甘ったるい飲み物をゆっくり飲んでいるあいだ、ロベルト・ヴィクトロヴィチはいつまでもその様子を眺めながら、たえまなくヤーシャの白さについて思いめぐらせる。何もかかっていない壁のくすんだ白い塗料をバックにすると、ヤーシャの白さはよけいに引きたち、虹よりも鮮やかに輝いて見える。バラ色のようでやはり白としか言いようのないその手に台所用カップがにぎられると、カップのホウロウのきらめきも、結晶のような断面を持つ砕いた砂糖の大きな塊も、窓の外の白っぽい空も、みな色彩の連なりとなって、ヤーシャの卵のように白い小さな顔のほうへと賢明にものぼってくるかのようで、その顔は白の極致、あたたかさのきわみ、活気のきわみであり、大事な色調の源でもあって、あらゆるものがここから生まれ、育ち、遊び、そして「死の白」と「生の白」の神秘について歌いだすのだった。

ロベルト・ヴィクトロヴィチはヤーシャの姿に見とれ、ヤーシャはそれを感じていたが、彼に見つめられているうちにだんだんプライドが高くなってきて、女らしい小さなうぬぼれに酔いしれ、権力をひとりじめできるのが楽しくなったのは、恥知らずにも子供っぽく「もいちど、したい?」とロベルト・ヴィクトロヴィチに言えば、彼がうなずいて、古いカーペットのかかった長椅子に抱いて連れていってくれることがわかっているからか、といえばそうでもない。私のこと、飽きずに穴のあくほど見てばかりいるかわいそうな人、お馬鹿さん、変な人、ほんとに変わり者、猫可愛がり……。

「猫可愛がりなのね」そう繰りかえしてつぶやいたヤーシャは、誇らしげな笑みをうっすら口もとに浮かべるので、ロベルト・ヴィクトロヴィチは、彼女が愚かしくも勝利に酔いしれているのを感じていたが、それでも、

「さあ、もうおしまい……。行くわ」

と言われるまで、いつまでもいつまでもヤーシャのことを見つめているのだった。

ロベルト・ヴィクトロヴィチはけっして何もヤーシャに訊ねず、ヤーシャも自分のことを何も話さなかったし、その必要もなかった。ロベルト・ヴィクトロヴィチはどうしようもないほど彼女に愛着を感じており、ヤーシャもヤーシャで、いつも彼といっしょにいたいという気持ちが強かったので、言葉でたしかめあうには及ばなかったのである。彼といると、ヤーシャは自分のことを、思い描いていたとおりの道を歩み終えて身をたてた女のように、つまり金持ちで美しい自由な女のように感じることができた。だから演劇学校に行く必要もなくなってしまった。

四月なかば、ロベルト・ヴィクトロヴィチはヤーシャの肖像画を描きだした。はじめ

に一枚、ティーポットと白い花のある絵、それからまた別に一枚、というふうに描いていった。こうして、白い顔を描いた作品群は、扉を開くと連なった部屋がすべて見とおせる続き部屋《アンフィラーダ》のようなものになり、ひとつの顔が別の顔の影に入ったかと思うと、またあらわれ出てくるといったふうで、目の錯覚が作用して、どの顔も互いに関係しあって見えた。

ロベルト・ヴィクトロヴィチは描くのが早かった。たしかにヤーシャはすぐそばにいるし、それは画家にとって大事なことではあるけれど、彼の絵はモデルを見ながら描く写生ではない。言ってみれば、ヤーシャをまるごと吸いこんでしまっているので、今では自分の内部を覗きこむだけでいいというような按配なのである。日の出ているあいだじゅう仕事をし、ますます多くの時間をアトリエで過ごすようになった。朝早くアトリエに来るのが前から好きだったが、最近はよく泊まりこむようになっていた。

家族の住む「家」の吸引力が弱まり、ロベルト・ヴィクトロヴィチの生活の比重がいっそうアトリエのほうに移っていき、アトリエが無口な恋人を、情事を仲介する取り持ちのようにそっと受け入れていたちょうどそのころ、「家」の上空には暗雲がたれこめていた。

というのは、ソーネチカたち一家の住んでいる小さな集落全体が、取り壊し地区に指定されていたからである。何年ものあいだ、話し合いばかりがだらだらと、たいした成果もないまま続けられていたのだが、ある日とつぜん、押印のかすれた忌まわしい文書――建物の取り壊しと住人の立ち退きに関する決定を記した書類――が現実のものとなってあらわれた。こういう場合、書類は本人に手渡されるのが筋なのに、そうではなく、郵送されてきて、昼の日中、朝の配達が来たあと、ソーネチカが郵便箱の中にこの不吉な文書を見つけたのだった。

それを握りしめて、ソーネチカはアトリエの夫のもとに走っていった。ふつうなら、言葉ではっきり、「来てはいけない」と言われていなくてもアトリエに行ってはいけないことくらい自分でわかっていたので、行かないはずだったのだが……。ロベルト・ヴィクトロヴィチはひとりで仕事をしていた。ソーネチカは、ぎしぎしいう肘かけ椅子に腰をおろした。夫は口をきかず、向かいにすわっている。ソーネチカは、生気のない白い目の女性を描いたカンバスが何枚もあるのを見て、この「雪の女王」がだれをモデルにしたものか、ぴんときた。そしてロベルト・ヴィクトロヴィチも、ソーネチカが理解したことがわかった。ふたりは言葉を交わさなかった。

ソーネチカは、黙ってしばらくすわっていたが、やがて、悲しい通告書をテーブルの上に置いて、アトリエをあとにした。玄関ポーチのところで、ソーネチカは胸をつかれて立ち止まった。あたり一面、雪が積もっているはずだと思っていたのに、外は、さまざまな色合いの緑色をした五月の草木が、あちこちでこんもり、うっそうと生い茂っていて、市街電車の長いトリルの音にまで緑の色がこだましている。

ソーネチカは自分の家へ、自分の愛する幸せな家へ向かったが、その家は、なぜだか解体して丸太んぼうにしてしまわなければいけないという。涙が皺だらけの長い頬を伝ったが、たちまち乾いて、かさかさの唇で彼女はつぶやいた。

「とっくの昔に起こってもおかしくなかった、とっくの昔に……。ずっとわかっていたんだもの、こんなこと、ありえないって……こんなこと、あるはずなかったんだ……」

そして家に帰るまでのこの一〇分のあいだに、ソーネチカは、一七年続いた幸福な結婚生活がこれで幕をとじたということをはっきり理解し、もう今となっては自分には何もないということを悟った。ロベルト・ヴィクトロヴィチも自分のものではないし（でも彼がいったいいつ、だれのものだったというのか）、ターニャも自分のものではなく（何から何までまったく異質で、父親似なのだか、祖父似なのだか、ともかくソーネチカのようなおとなしいタイプではない）、家だってそうで、老人が年々、自分の体を自分のものでないように感じていくみたいに、ソーネチカは夜な夜な家の溜め息やうめき声を感じとっていた……。「あの人のそばに、若くて、きれいで、やさしくて、上品なあの子がいてくれたら、こんないいことはない。優れているところも非凡なところも、あの人と釣り合ってるもの。人生ってなんてうまくできてるんだろう、老年にさしかかったあの人にこんな奇跡がおとずれて、あの人のなかの一番大事なもの、絵の仕事にもう一度立ち戻らせてくれたなんて」と、ソーネチカは考えた。

すっかり空っぽになり、軽くなったソーネチカは、澄んだ耳鳴りを聞きながら自分の部屋にはいり、本棚に近づいて、あてずっぽうに本を抜き、真ん中あたりを開いて横になった。それは、プーシキンの短編「百姓娘になりすました令嬢」だった。耳たぶにまで白粉《おしろい》をぬって、家庭教師の老嬢《ミス》ジャクソンよりも濃く眉墨をひいた令嬢リーザが、ちょうど食卓にやってきた場面で、アレクセイ・ベレストフは、遊び人で物思わしげな青年という役どころを演じている。「百姓娘になりすました令嬢」を何ページか読み、プーシキンの研ぎすまされた言葉やこの上なく気品あふれる表現を味わっているうちに、ソーネチカは静かな幸福感に満たされてきた。

＊

引っ越しの準備には何日もかかった。ソーネチカは、いくつも包みを作り、巻きタバコのはいっていた箱に鍋類や衣類を詰めていたが、妙におごそかな気分だった――これまで過ごしてきた人生を葬り、梱包した箱のひとつひとつに、幸せだった自分の時間、日々、夜々、歳月が詰めこまれていくような気がして、ソーネチカは、これらボール紙の棺をやさしくなでるのだった。

ものを片づけることのできない性格のターニャは、家じゅうをうろうろしているので、もとあった場所から移され、まるで自分勝手に動けるようになったかに見える家具に、ぶつかってばかりいる――タンスの扉がさっとひとりでにあいてしまうし、椅子が足払いをくわせたりする。

ターニャは母の手伝いをしようとしなかった。ひたすら自分自身の感覚に凝り固まっていて、家でおこなわれていることが不快でたまらないという気持ちにすっかり呑みこまれてしまっていたからである。

もうひとつ、ターニャが深く落胆してしまうような状況があった——ヤーシャが出ていってしまったのである。そのころ言語能力の発達が遅れていて人づきあいが悪かったターニャは、自分のもつれた心のわだかまりを洗いざらいヤーシャに打ちあけており、賢く口数の少ないヤーシャが、ある意味でターニャのたったひとりしかいない話し相手だった。ヤーシャは、ターニャがどんなに底の浅い体験について話しても、それを本人のためになる好意あふれる公平な態度で受けいれてくれるので、ふたりでおしゃべりをしているうちに（というよりはターニャのひとり舞台なのだが）、ターニャは考えをまとめ、飛んでいってしまいそうなイメージをぱっとつかむことができるようになり、そのことにたいそう満足していた。

他の友達や、道楽者で世の中のあらゆることをひっくり返したがるアリョーシャや、海のような才能があり、何でも覚えてしまう並はずれた記憶力の持ち主で、その記憶力をたよりに世界のあらゆる情報を頭にびっしり詰めこんでいるウラジーミルは、どうしても自分たちの蠱惑《こわく》的な世界に、ターニャをむりやり引きずりこんでしまいがちだったが、ヤーシャだけは、ターニャに主体的にものを考えさせたり、思ったことを口に出して言わせたり、こまごましたことを手探りで選ばせたりすることができたわけで、人間というのは、そうした細かいことをもとにして、自由に人生最初の下絵を描くものであり、その後の生の模様はどれも、その下絵にそって展開していくものなのである。ターニャがヤーシャに、これ以上ないほど親密な気持ちとほのかな感謝の念を抱いているのは、まさにこのためだった。

ターニャは、いつもは自分のことにばかりかまけていたが、あるときちょっとした心の余裕ができて、どうもヤーシャには別の生活があるらしいということに気がついた。でも、ターニャが、その秘密の空間は昼間にあるようだ（夜間学校にいるときでもなければ、家にいるときでもない）と見当をつけて何度その空間にはいりこもうとしても、ヤーシャのやさしく人をはぐらかすような沈黙か、あるいはあやふやな言葉にはばまれてうまくいかなかった。まっさきに浮かんだ解釈は、秘められたロマンスがあるのだということで、いったい相手はだれなんだろう、と思うと、ターニャはいてもたってもいられなくなった。

この疑問が解けたのは、まったくの偶然だった。たまたま地下鉄の駅のそばで父とヤーシャの姿を見かけたターニャは、気づかれずにあとをつけて、とても信じられないような光景を目にすることになった――ふたりが、歩きながらアイスクリームを食べたり笑ったりしているのだ。アイスクリームがぽたんぽたんと流れ落ち、ヤーシャの頬に残ったねばねばした白いアイスクリームのあとを、父がぬぐってやる様子をまのあたりにし、その指の動かし方を見て、人と触れ合うことに関してはそうとうな専門家であるターニャは、嫉妬という、それまでに経験したことのない新しい感情にとらわれて、うろたえてしまった。

ターニャは、女としての母の立場も気にならなかったし、道徳的に見てどうのこうのといった判断に悩ませられることも一切なかった。ただひとつ腹立たしいのは、自分にとっては面白くもなんともないこの情事を、ヤーシャが卑怯にも隠しておいたということだけだった……。

ターニャは腹いせにひと悶着起こしてやった。しかし、何らかの形で表沙汰になったときの覚悟をとうにしていたヤーシャは、すぐに荷物をまとめると、彫刻模様のある玄関ポーチからそっと出て行ってしまったのである。残されたターニャはとまどい、悲しみにくれ、ヤーシャとの関係は、どんな恋愛ロマンスよりはるかに大切だという気がするのだった……。

そうこうするあいだ、ロベルト・ヴィクトロヴィチは、前に自分が作ったラックを分解していたので、ヤーシャがいなくなったことにさえ、すぐには気づかなかった。

いよいよ引っ越しの当日になり、荷物が運び出された。プレオブラジェンスキー市場で見つけ、ちょっと大げさなほど興奮して買った家具は、あんなに使い心地がよくて、あんなに使いなれていたのに、夏の明るい日ざしを浴びると、古びて傷んでいて、すっかりみすぼらしく見えた。家具がみな有蓋トラックに積みこまれ、リホボールィという、遠くて気の滅入る地区にある不便な三部屋のアパートに運ばれたが、そのアパートは、何もかも、まったくどれもこれも嫌になるほどお粗末だった――薄っぺらな壁、両肘をのばしたくらいしかなくてソーネチカには狭すぎる台所、未完成の風呂。

ガヴリーリンに手伝ってもらって、ロベルト・ヴィクトロヴィチは家具をあちこちに置いた。ところが、どの家具も、それぞれ割りふられた場所をいやがって頑固に抵抗し、あまっている隅にもうまくおさまらず、そこいらじゅうで数センチずつ足りない。扉が一枚しかついていないほんの小さな洋服ダンスを、決めたとおり窓と窓の間の壁際に置くために、しかたなく壁面のいちばん下にはりわたされた幅木をはずさなければならない始末だった。凸面の蓋つき長持が新しい住まいにぜんぜん溶けこもうとしないので、ターニャは泣きださんばかりだった。

ソーネチカは、奥の部屋にターニャの長椅子とヤーシャのベッドを置くよう言いつけ、こう続けた。

「ここは娘たちの部屋」

ソーネチカに引っ越しを手伝ってほしいと言われて来ていたヤーシャは、思わず耳をそばだてた。いったい何がおこなわれているのだか、さっぱりわけがわからなかった。それに、そのことはヤーシャにとってたいして重要ではなかった。彼女がとても大切に思っているのは、この家ではなく、まったく別の場所だった。それに、いちばん大事なものはしっかり手に握っているような気がしていた。

ソーネチカは、どこからともなく茶色の大きなバッグを持ってくると、そこから魔法のテーブルクロスにナプキン、冷たいメンチカツ、魔法瓶にはいった冷たい野菜スープ《オクローシカ》を取りだした。

前と同じように、ソーネチカは、いいところばかりヤーシャの皿におかわりをよそってやる。ヤーシャがありがたそうにほほえむ。ソーネチカはヤーシャにとって、不思議なくらいすばらしい人だった。「でも、もしかしたら、ものすごくずる賢いだけかもしれない」ヤーシャは、少し理詰めでものを考えなくちゃと思い、そう想像してみた。でも、そんなはずがないことは、心が知っていた。

するとつぜん、食事の真っ最中に、ターニャが腕を振りあげ、髪を振り乱し、胸をゆすって大声で泣きだし、やがてからからとヒステリックな高笑いをはじめたが、急に発作がやむと、涙と浴びせられた水とでまだびしょぬれのターニャは、今すぐペテルブルグに行くと言いだした。

ヤーシャがターニャを、「娘たちの部屋」と宣言された新しい部屋に連れていったが、そこは、どちらの娘の憩いの場にもならない運命だったようだ。ふたりは、ヤーシャのベッドにはいった。ヤーシャが太いポニーテールのゴムをはずし、ふたりして互いの髪をなで合って、すっかり仲直りした。

それでも決心を変えなかったターニャは、その日の夜、甘美な麻薬を常習している吟遊詩人で自分に思いを寄せているアリョーシャのところにころがりこんでしまった。

ロベルト・ヴィクトロヴィチとガヴリーリンとヤーシャの三人はマスロフカ通りに行ってしまったので、家族同然の人たちを見送ってしまうと、ソーネチカは、リホボールィに移ってはじめての夜をひとりで過ごすことになった。人生の縫い目があちこちほどけて、ばらばらになってしまったことや、ふいに孤独におそわれたことを、ソーネチカは悲しい気持ちで思い、それから、真ん中に位置する通り抜けできる部屋で、寝床の用意もしていないソファに横になり、たばねてある包みから、たまたま取りだしたシラーを朝まで読みつづけた——シラーを読んで寝入らないでいられる人がいるなんて！　青春時代には文学の麻酔にかかったものだが、今度はみずから進んでその麻酔に身をゆだねようとして、ソーネチカは悲劇『ヴァレンシュタイン』を読んだのである。

＊

ソーネチカが、いいのよ、といくら言っても、ロベルト・ヴィクトロヴィチはソーネチカをけっして放っておこうとはしなかった。土曜ごと、週に一、二回はかならずリホボールィにやってくるのだった。おとなしいヤーシャといっしょに来て、ヤーシャが娘たちの部屋で、絹をこすりあわせるような音をさらさらたてて動きまわり、そこで自分やターニャの洋服だの書類だのを整理しているあいだに、彼は窓の下枠を広いものにつけ替えたり、棚板を強化したり、ラックをのこぎりで切ってふたつに分けたり、ターニャの肖像画をあちこちにかけたりした。

今やまちがいなくソーネチカのものとなった真ん中の部屋で、三人は夕食をとり、少しターニャの話をする。ペテルブルグに行ってもうひと月になるというのに、ターニャはあいかわらず、この惨めなリホボールィに帰ってくるのを先にのばしていた。

夜遅い時間になると、三人はそれぞれの部屋に寝に行く。ヤーシャは娘たちの部屋に、ロベルト・ヴィクトロヴィチは自分にあてがわれた入り口わきの個室に、そしてソーネチカはつらそうにソファに倒れこむが、寝入りばなには、ロベルト・ヴィクトロヴィチがここ、薄い壁をへだててすぐ右手にいること、左手には繊細で美しいヤーシャがいることをうれしく思うのだった。残念なのは、ターニャがいないことだけ……。

翌朝ソーネチカは、前日の残りのサラダも、メンチカツも、そば粥も、いくつかの壜に詰めて、ふたのあたりをしっかり紐でしばって、茶色のバッグに入れ、ヤーシャに持たせてやる。

「ありがとう、ソーニャおばさん」ヤーシャは目を伏せて礼を言うのだった。

アレクサンドル・イワーノヴィチの誕生日が近づいたとき、ロベルト・ヴィクトロヴィチはソーネチカに、三人でいっしょにお祝いに行くから、アトリエに来なさいと言った。こんな家族形態で外出するのははじめてだった。母親の胎内から出てきたばかりといった感じのアレクサンドル・イワーノヴィチはじっさい童貞で、修道士然としており、終生、一度も女性との色事で話題になったことがなく、そのせいでかえって一部の好意あふれる人たちには、何かもっと面白い罪を犯しているのではないかと疑われているくらいなのだが、それはともかく、仲間うちで、ロベルト・ヴィクトロヴィチとソーネチカとヤーシャの三人組をごく自然なものとして認めてくれるたったひとりの人間だった。

他の客たち、とりわけ画家の妻たちは、三々五々部屋の隅に陣どり、好色そうな表情を浮かべて、目の前の三角関係についてぺちゃくちゃおしゃべりをし、まるで練り粉がふくらんで発酵桶から飛びだすように、かっかしていた。赤毛で、神経過敏のきらいがあるマグダリーナは、ソーネチカのために苦しみすぎてへとへとになり、偏頭痛を起こしたほどだ。まったく余計なお世話である——ソーネチカは、夫が自分を連れてきてくれたことがうれしかったし、自分は不細工な老妻なのに、夫はそんな自分にも誠実さを見せてくれたと考えていて、そのことが誇らしかったし、ヤーシャの美しさにも惚れ惚れしていた。

アレクサンドル・イワーノヴィチに頼まれて、ソーネチカは食卓の切り盛りをてつだったり、出来合いの食べ物を客たちに配ってまわったりしていたが、ヤーシャがいつも胃を痛くするのを思いだして、そっと彼女に耳打ちした。

「ヤーシャ、このロールキャベツはどうも少しナンだから……。ちょっと気をつけたほうがいいよ……」

ご夫人方の一部は、今にも、偽善的だといってソーネチカをなじりかねなかった――どう考えても不利な組み合わせだと思えるのに、やけにソーネチカの顔色がいいのだ。別のご夫人方は、できるものならソーネチカに同情して、ロベルト・ヴィクトロヴィチを非難してやりたいと思っていた。でも、それがまったくできなかったのは、三人がほんとうの家族のようにふるまっていたからだろう。そんなふうに、家庭の三角形をなして席についていたのだ――ロベルト・ヴィクトロヴィチが真ん中で、その右手には、頭半分だけ彼より大きなソーネチカがすわり、左手にはヤーシャが、肌の白さと、指にはめた小さな尖ったダイヤモンドを輝かせている。

ロベルト・ヴィクトロヴィチが若いガールフレンドに宝石店でダイヤモンドを買う姿など、想像することもできない。でも、公平を期するために言っておかなければならないが、ヤーシャというのは、小さくて、か弱くて、それでいていつも女の子らしく宝石のついた指輪をはめたがったり、寒がりの肩に毛皮コートをはおりたがったりするようなタイプなのだ……。

ロベルト・ヴィクトロヴィチは、局外者つまり友人たちに、ふたりのうちのどちらかを選ぶとか、同情や非難や義憤をあらわすとかいったすきを与えなかった……。

こうしてパーティは順調に進んでいった。ほろ酔い加減のガヴリーリンは、瀕死の白鳥の物真似をし、それからレーニンを演じ、そしてアンコールに応えて、これはもうだれもが知っている十八番、ノミを探す犬の真似をした。その後、言葉《シャラーダ》あてクイズをすることになって、妖怪と六本足の牛が登場した。この牛は、ぽっちゃり太った女性たちが亜麻布のカーテンをかぶって「ヨーロッパ」をあらわし、『共産党宣言』の最初の一文になぞらえて、「ヨーロッパを共産主義という名の妖怪が徘徊している」ところを再現しているらしかったが、「妖怪」は、徘徊しているというよりは、這いまわっているといったほうが当たっていた。

祝宴がこの部分にさしかかると、この上なく気の利いた言葉《シャラーダ》あてクイズを思いつく名人だったターニャのことをだれもが思いだし、とくに察しのいい女性たちは、「かわいそうな娘《こ》よね!」と言わんばかりに顔を見合わせていた。

そのころ、この「かわいそうな娘《こ》」は、ワリーリエフスキー島にある友達アリョーシャのところに身を寄せ、素敵なねぐらに住んでいた。ペテルブルグは白夜、彼女は大胆で、なんでも知りたがり、面白いゲームがあればいつでも一生懸命遊んでやろうと思っていた。ふたりは一向に別れる気配もなく、四つの目であたりをきょろきょろ見まわしていた——そしてアリョーシャは、ターニャがいても、一寸先すら読めない自分の人生の邪魔にならないどころか、逆にターニャがいてくれるほうが、世の中にはびこるソビエト権力（それを彼は軽蔑をこめて「ソヴーハ」と呼んでいた）から逃れやすいということに気づいて驚いていた。

アレクサンドル・イワーノヴィチの誕生祝いから数日経って、ソーネチカはペテルブルグに娘ターニャを訪ねていき、中庭で半日も待ちぼうけを食わされたあげく、さらに四〇分、娘とアリョーシャと自分の三人でテーブルについてお茶を飲み（テーブルの上には、本やレコードや食べ残しや空っぽの壜が所狭しと積みあげられていた）、もっとまめに電話をくれるよう頼み、お金を渡して、その日の夜行列車で帰途についた。

列車のなかでソーネチカは眠ることができず、ずっと考えていた。娘も夫も、なんて素敵な人生を送っているんだろう、ふたりともみずみずしい若さがはじけんばかり……、わたしだけ、もう何もかもおしまいだなんて、ほんとに残念、でもいろんなことがあって、なんて幸せだったろう……。ソーネチカは、車両が小さく揺れるのに身をまかせて、いかにも老人らしく首をふったが、それは、二〇年後にあらわれるチック症状の前触れのようでもあった……。

＊

しばらくすると、ふたたび冬がやってきた。ターニャもヤーシャも、学校を卒業しなければならない時期だったが、ふたりとも退学した。ターニャは冬じゅう、通いなれた道を行ったり来たりした。しょっちゅうアリョーシャと喧嘩して家に帰ってくるのだが、リホボールィではあまりに気が滅入って仕方ないので、また愛するペテルブルグに舞い戻ってしまうのだ。

ロベルト・ヴィクトロヴィチは冬のあいだずっと絵の仕事にかかりきりだった。げっそり痩せてしまったけれど、げっそり痩せたわりには、顔は輝き、どういうわけか周囲の者みなに思いやり深くなった。同棲している小柄なヤーシャは、キャンディの包み紙をかさこそいじったり、安物の絹をさらさらいわせたり（ヤーシャは年じゅう光る針をこまかく動かして、同じ型で色とりどりのワンピースを縫っている)、ポーランドの雑誌をぱらぱらめくったりしながら、彼のそばで静かに生活している。

当時はポーランド・ブームだった。ポーランドから西側の自由な雰囲気が流れこんできた。もっとも、東ヨーロッパ上空を越えるときに、わずかながら重々しくなるのだけれど。

ヤーシャは、そのころまでには、自分がポーランド出身だということを隠そうとはしなくなっていて、子供のころ母と話していたポーランド語をいまだによく覚えていることがわかった。ロベルト・ヴィクトロヴィチもまた、どこでも通用するヨーロッパの言葉以外に、ポーランド語も知っていたため、ちょっと舌足らずで魅力的なこのかわいらしい言葉がふたりを会話に導いていった。彼は、以前ソーネチカにしたように、今度はヤーシャに、ちょっとした物語、おかしなこと、信じられないような事件、恐ろしい出来事などを話して聞かせた。ヤーシャに話すときはポーランド語を用いるため言葉遣いが柔らかくなるせいか、ソーネチカが聞いて知っていることとは微妙に異なっているように見えるが、たとえソーネチカに話したことの括弧の外にあるように見えたとしても、それはそれでまた、れっきとした彼の人生であることに変わりはなかった。

ヤーシャは笑ったり、泣いたり、「エズス・マリヤ！」と叫んだり、誇らしく思ったり、うっとりしたりしていた。そして、幼いころから長い男性経験があるにもかかわらず、前には想像さえできなかった快感を自分が経験できるようになったことを、とても喜んだ。

ロベルト・ヴィクトロヴィチのほうは、ヤーシャの色あせない頬、初々しい顔の皮膚、細い眉の下の白い産毛にあいかわらず見入って、若い肌がいかに貴重であるかを思い、美しい新妻の「完璧な形」について、ロシアの生んだただひとりの天才プーシキンが「賢さは与えられなかった」と言ったことを思いだしていた。

ヤーシャの虜になっていることで、ロベルト・ヴィクトロヴィチの仕事ははかどり、おおいなる実を結んだ。どこにもカンバスを積んでおく場所がなくなって、アトリエに新たに吊り棚を作らなければならないほどだった。それまで取りくんできた白のシリーズは、いよいよ完成に近づいていた。だいそれた発見はできなかった、とロベルト・ヴィクトロヴィチは感じていた。掘り起こした土壌はこちらの思いどおりになったし、それはそれで大きな意味があったのだが、今にも解き明かすことができそうだと思えた謎そのものはどこかへすうっと姿を消してしまい、あとに残ったのは、もう少しで謎が解明できたのにという甘ったるい痛みと、その謎が放つ魅力を申し分なく代弁しているヤーシャだけで、ロベルト・ヴィクトロヴィチは、疲れていても、高齢で肉体が衰えてきても、そのあまりに強烈な魅力にはかなわなかった。老いてもロベルト・ヴィクトロヴィチには、過激な愛の行為は重荷ではなかった。

四月の終わり、雪どけさなかのじめじめした夜、ロベルト・ヴィクトロヴィチはヤーシャの肩を強くつかみ、頭をぶるっと震わせて、かたい枕につっぷした。

彼が死にかけている、ということにヤーシャが気づいたのは、しばらくしてからだった。彼女は、吠えるような声で泣きながら廊下に飛びだした。廊下には、他に七つのアトリエのドアが並んでいたが、この建物に住んでいる画家はいないし、泊まっている者もあまりいない。ヤーシャはとなりのドアの取っ手をふたつほど引っぱってみたが、あきらめて、四階から守衛室の電話のところに飛んでいった。

細いおさげ髪をほどいた守衛のおばあさんは、裸のヤーシャを見て、小さな声で、きゃっと叫んだが、ヤーシャはおばあさんを押しのけて言った。

「救急車を、早く……救急車を……」

そして、がたがた震える手で電話のダイヤルをまわした。

医者が着いたときには、すでにロベルト・ヴィクトロヴィチは息を引きとっていた。うつ伏せのまま、黒っぽい顔を枕にうずめていた。ヤーシャは、とうとうその体をひっくり返すことができなかったのだ。

死んだときの状況は明らかだった。

「脳溢血ですな」酒とまずい食べ物の臭いをぷんぷんまき散らしながら、太った、いけすかない医者がぼそっと言った。そして死体安置所《モルグ》の電話番号を書きつけた。

役に立たなかった担架をがたがた押して、看護員がふたり、下におりていく。

「じいさんなのに、女の上で死んだんだぜ。しかもまだ若い娘《こ》だ」ひとりが言った。

「それがどうしたんだよ。病院でくたばるより、よっぽどいいだろ」もうひとりが答えた。

*

リホボールィの住まいには電話がなかった。ヤーシャがソーネチカのところに来たとき、ソーネチカは、朝のコーヒーを飲もうとしているところだった。ソーネチカが小さく首を振り、両腕でヤーシャをつかんで自分のほうに引き寄せると、ふたりはそのまま玄関で長いこと泣いた。

それから、ふたりしてアトリエに出かけた。遺体はもう死体安置所《モルグ》に運ばれたあとだった。中は変わりはて、ひどい散らかりようで、それは作業班が二つ、医者や死体運搬人が何人も来たからだったが、ソーネチカとヤーシャは手早く部屋を片づけた。

ソーネチカは、他人に見せるのが恥ずかしいシーツを長椅子からはがして自分のバッグに入れた。それから、ふたりは、ペテルブルグのターニャに電話をかけに行ったが、電話をとった近所の人の話によると、ターニャはアリョーシャとどこかに出かけてしまって、家にいないとのことだった。ヤーシャは、終始しがみつくようにして、ソーネチカの手を握っていた。ヤーシャは孤児で、ソーネチカは母なのだ。

守衛のおばあさんはもう、年とったロベルト・ヴィクトロヴィチのスキャンダラスな死について、知りたいという人がいれば、だれかれかまわず、とっくりと教えてやっていた。ここにアトリエを持つ画家たちは、昼ごろからロベルト・ヴィクトロヴィチのアトリエにやって来た。それぞれ、こういう場合に似つかわしいと思うものを何かしら持ってきた——花、ウォッカ、お金……。

そのついでに世論のようなものができあがった――ロベルト・ヴィクトロヴィチは気の毒がられ、ヤーシャは憎まれ軽蔑されたが、ソーネチカに対してはなんだか複雑で、ソーネチカから何かを期待して待っているような雰囲気があり、みなが彼女を興味深げに、とはいっても同情のこもった目で見守っていた。

夜遅く、アトリエに残っているのが親しい人たちだけになると、ソーネチカは、涙も流さずに静かに泣いてから、とつぜん、きっぱりこう言った。

「少し大きな展覧会場を手配してください。そこに棺を置いて、ここにある絵をかけたいんです」そして、上を向き、カンバスが何枚も立てかけてある吊り棚を指した。

バルビゾン派の画家アレクサンドル・イワーノヴィチがガヴリーリンと顔を見合わせた。うなずき合っている。

ソーネチカの言ったとおりに事は運んだ。

芸術家基金が会場を貸してくれた。前の日、会場の壁のあちこちに絵がかけられた。全部で五二枚だった。ソーネチカがどこに何をかけるか采配を振るったが、彼女より見事にこなせる者はおそらくいなかったろう。急にどこからか太陽がひょいと顔を出したが、病的なほど明るくぎらぎらしていて、邪魔をしているようで、ソーネチカが仕事の手をとめなければならないほどだった。油絵が鏡のように光り、反射するので、ソーネチカは、ギャザーのよった官給のカーテンをおろしてほしいと頼んだ。全作品を壁にかけ終わると、カーテンがあけられた。このころには日の光もやわらぎ、すべてが収まるべきところに収まった。ロベルト・ヴィクトロヴィチだって、これほど上手に展示できはしなかっただろう。

翌日、一二時前から人が集まりだした。いったいどれほどの人々がこの葬儀に駆けつけたか想像もできない。描いてほしいと言われれば、だれにでも華々しい肖像画を描いてやり、手にまめをつくったりメダルをもらったりした長老や年寄り連中もやってきたし、穏健なニューウェーブに属するごく普通の人たちもやってきたし、さらに、美術家同盟のご立派な会員が建物のなかに入れたがらない類の人たち――ちんぴら、リアノゾヴォの芸術家たち、見るからに乞食然とした前衛芸術家たち――までやってきた。

この遺作展は、とやかく品定めをするような気を起こさせない展覧会だった。それにロベルト・ヴィクトロヴィチ本人だって、自分の作品をあれこれ批評してほしいなどと思ったことは一度もなかった。

会場の真ん中に棺が置かれている。死者の顔は黒ずんでいて、高熱で表面の溶けた金属のようで、胸の上で組まれた手だけが、「死の白」とロベルト・ヴィクトロヴィチの名づけた氷のような白さに輝いていた。

黒い絹のワンピースを着たヤーシャは、大きくて輪郭のぼやけたソーネチカにくっついたまま、ペンギンのヒナが親鳥の羽の下から顔を出すように、ときどきソーネチカの腕の下から顔を見せていた。ターニャの姿がないのは、アリョーシャと、楽しい中央アジアに緑の牧場を探しに行ってしまっていて、ついに連絡がとれなかったからだ。

ひそひそささやかれる噂も、ロベルト・ヴィクトロヴィチの死にまつわる醜聞も、みなクロークに預けおかれた。たとえ他人の臓物まで食いつくすようなひどく貪欲な人間が来たとしても、ここ、この展覧会場では口をつぐんだ。人々がソーネチカのところに行き、気まずそうにお悔やみの言葉を述べる。ソーネチカは、自分の前にヤーシャを押しだして、機械的に答える。

「ええ、ほんとに悲しくて……。私たちにこんな悲しいことが起こって……」

旧友に別れを告げようと、若い愛人を伴ってやってきたチムレールは、もの悲しげな甲高い声でこう言った。

「なんて美しいんだ……レアとラケルのようだ……。ぜんぜん知らなかったな、これほどレアが美しいなんて……」

＊

神はソーネチカに、それから先、長い人生をリホボールィのアパートで送るようはからった。長く、そして孤独な人生を。

娘のターニャは、アリョーシャといつのまにか夫婦同然の生活を営むようになっていたが、自主的で誇り高い人しか住んでいない、神秘的で無愛想な町を結婚の持参金として彼からもらい受けて、ペテルブルグの人間になった。ターニャの天分が花開いたのは遅かった。音楽にも、絵にも、また何であれ彼女のぼんやりした視線の落ちるあらゆることに、信じられないほどの才能を示すということがわかったのは、二〇歳を過ぎてからだった。やすやすとフランス語をマスターし、それからイタリア語とドイツ語をものにし――ただ英語にだけは、妙に嫌悪感を抱いていた――、いつまでも身をおちつけずにぶらぶらしていたが、アリョーシャとも別れ、さらにわずかな期間つきあった男ふたりとも別れたあと、とうとう一九七〇年代の半ば、生後六ヵ月の息子を抱き、肩にかばんをさげて、イスラエルに移住した。わりとすぐに国連ですばらしい職を得たが、就職するにあたって、父親が世界的に有名な画家だということがたいへん有利に働いた。

ヤーシャは、数年のあいだリホボールィのソーネチカのアパートに暮らした。神様は、年老いた夫、大事なロベルトに、これほど人生を豊かにしてくれる美女、これほど人生の慰めとなってくれる女性を与えてくれたんだ――そう思うと、ソーネチカは敬虔な気持ちになり、神の摂理に感謝をこめて、やさしくヤーシャの面倒を見た。

ヤーシャは、演劇学校にはいるという考えにいったんは戻ったが、いつのまにかその夢もしぼんでいった。ソーネチカといっしょに針仕事をするのが楽しくて、ふたりでターニャのために、ちょっと変った、じゅうたんのようなセーターを編んだり、注文に応じて縫い物をしたりすることもあったが、大方はただすわって、とびきり濃いコーヒーを飲み、ソーネチカの作る蜂蜜入りのパイを食べていた。ヤーシャの体がしだいに弱っていくので、ソーネチカは、内緒で何度も何度も手紙をやりとりして、ポーランドにいるふたりの叔母と祖母を探しだした（ちなみに、貴族でもなんでもなく、ごく普通の人たちだった）。ソーネチカに旅支度をしてもらって、ヤーシャはポーランドに行き、そこでまもなく、おとぎ話のような人生航路をおとぎ話にふさわしく締めくくった――つまり、若くてハンサムで金持ちのフランス人と結婚したのである。ヤーシャは今、パリのリュクサンブール公園から目と鼻のところに住んでいて、そこはかつてロベルト・ヴィクトロヴィチの仕事場があったところだが、ヤーシャはそれを知る由もない。

ペトロフスキー公園にあった家は、住人が立ち退いたあと、ガラスが割られ、少年たちの放火による小火《ぼや》のなごりをとどめたまま、だれにも必要のないものとしてさらに何年もそのまま放っておかれた。野良犬や家のない人たちが、建物の中で夜を過ごすこともあった。一度ここで、人が殺されているのが発見されたこともある。

その後、屋根が崩れ落ちたが、なぜ当時、あれほど慌てふためいて、人も住まない辺境の地に住人たちを分散して住まわせたのか、さっぱりわからない。

ロベルト・ヴィクトロヴィチの五二枚の白い絵は、世界じゅうに散らばった。現代美術を扱うオークションでは、彼の作品が競りにあらわれるたびに、コレクターたちは心筋梗塞を起こす一歩手前までいってしまう。戦前のパリ時代に描かれた作品だと、途方もない値段がつくからだ。戦前の絵で保存されているものはほんのわずかしかなく、全部で一一点だった。

今では太って鼻の下にまで髭のはえているソフィヤ・イオシーフォヴナ、すなわちソーネチカは、リホボールルィ地区の、フルシチョフ時代に建てられた五階建てアパートの三階に住んでいる。自分の民族の歴史的な祖国（娘のターニャはそこの市民権を持っている）に移住したいとも思わなければ、ターニャが今働いているスイスにも行こうとしないし、ロベルト・ヴィクトロヴィチがあれほど愛した街パリにさえ行きたいとは思わなかった。二番目の娘ヤーシャが、年がら年中、来て来て、と言ってくれているのに。具合が悪くなってきた。パーキンソン病がはじまっているらしい。本を手にすると、本がぶるぶる震えてしまう。

春になると、ヴォストリャコフスコエ墓地に行き、夫の墓前に白い花を植えるのだが、一度として根づいたことはない。

夜ごと、梨の形をした鼻にスイス製の軽量メガネをかけて、ソーネチカは、甘く心地よい読書の深遠に、ブーニンの暗い並木道に、ツルゲーネフの春の水に、心を注ぐのだった。

訳者あとがき

二〇〇一年の暮れ、ロシア・ブッカー賞の選考結果が発表され、本書の著者リュドミラ・エヴゲーニエヴナ・ウリツカヤが、女性作家として初めてその栄冠を手にした。受賞作は、長編『クコツキーの事例』である。

この賞は、ちょうど一〇周年を迎えた、ロシアで最も権威ある文学賞だが、ソ連邦崩壊の翌年に創設されて以来、その候補者や候補作をめぐって、ロシアのマスコミではさまざまな予想や憶測の乱れ飛ぶのがならわしになっており、今回も例外ではなかった。ウリツカヤの作品は、スターリン時代を生きたユダヤ人産婦人科医クコツキーの盛衰を、堕胎の是非というテーマもからめて描いたもので、知的な内容、ほどよく香るエロスやアイロニー、哀しげな雰囲気といった美点が指摘されると同時に、作品の質とは関係のない事情もあれこれ取り沙汰された。しかし、世間のそうした風評にも追従にも、ウリツカヤ本人はほとんど振りまわされなかったようだ。受賞後のインタビューで、彼女はこんなふうに語っている。

この小説は、私にとっては過去のものです。私はもうこの小説から離れてしまっています。

もし一九九三年に『ソーネチカ』で初めて候補になったとき受賞していたら、ものすごく嬉しかったと思いますけれど……。（「独立新聞」二〇〇一年一二月一五日）

せっかく栄えある文学賞をもらったというのに、いささかシニカル、というか不遜な感じがするだろうか。でも、急いで付け加えておきたいのだが、実際のウリツカヤはとても率直で、謙虚な人である。おそらく近年、国内外での評判がとみに高まり、いまや実力作家として現代ロシアの文学界でゆるぎない地歩を占めている彼女にしてみれば、ロシア・ブッカー賞受賞は遅きに失した感がぬぐえないのだろう。

＊

なにしろ、ウリツカヤがこの文学賞の最終候補になるのは、今回で三度目（三度目の正直！）だったのである。

ウリツカヤの名前を国際的に知らしめたのは、本作品『ソーネチカ』である。一九九二年、「新世界《ノーヴィ・ミール》」に発表されるや、その年のうちに、まずフランス語訳（Gallimard, 1992）が出版され、それからドイツ語訳（Folk und Welt, 1994）、イタリア語訳（Edizioni E/O, 1997）と続いた。そして、一九九六年にフランスのメディシス賞（外国文学部門）を受賞し、一九九八年にはイタリアのジュゼッペ・アツェルビ賞を受賞するといった具合に、国外では早いうちから注目されてきた。

それにひきかえ、ロシア本国では、一九八〇年代終り頃から短編がいくつか文芸誌に掲載されたものの、あまり人目をひかず、初めての単行本が出版されたのは、『ソーネチカ』がロシア・ブッカー賞にノミネートされてから二年も後である（Слово, 1995）。つまり、ロシア国内での評価は、外国での高い評価に後押しされるような形で高まったということになる。

ウリツカヤの作品は、この十数年のうちに、短めだったものが長くなり、登場人物の数も多くなって、歴史大河ドラマとしての風格をそなえるようになってきた。

初期の短編では、ある主人公の生涯の断片を切りとってきて印象深く提示する（「選ばれし民」）とか、長い年月にわたる物語であってもその骨組みを点描するだけ（「ブハラの娘」）にとどまっていたが、中編『ソーネチカ』で、ひとりの女の一生を追う息の長い物語を書きあげると、ウリツカヤは、長編『メディアとその子供たち』でさらに視野を広げ、メディアという女性を中心に多くの親戚を登場人物として取りこんで「一族の記録」を仕上げた。そして、執筆に何年も費やしたという長編『クコツキーの事例』では、さらにその容量を大きくし、三世代にわたる医師の家族の歴史を描いて一大「家族年代記」として結実させたのである。枚数が増えたからといって、それを単純に成長と呼ぶことはできないにしろ、少なくともウリツカヤが、拡大再生産型の作家であることは指摘しておいていいだろう。

＊

さて『ソーネチカ』はどのような小説か。

ひと言であらわすとしたら、「平凡な女」の一生を描いた「非凡な物語」といえるのではないだろうか。本の虫で、容貌のぱっとしないソーネチカが、第二次世界大戦が始まって疎開した先で、反体制気質の男と出会い、結婚する。夫の流刑生活についてまわり、子供を産み、育て、スターリン時代を貧しくも幸せに過ごし、やがて大きな愛の試練に見舞われる……。その人生が、ほぼ時の流れに沿って淡々と語られていくわけだが、試練の乗りこえ方がじつに人並みはずれているのである。

しかし、ソーネチカの心の機微をたくみに伝える語り手は、それを手放しで称賛するでも、冷たく非難するでもなく、ごく自然に受け入れる姿勢を貫いている。おそらくそうした語り手の距離のとり方が絶妙なので、現実にはありえないような結末も説得力を持ち、読後に静かな余韻が残るのだと思う。読者はその余韻を味わいながら、お人好しでたいした取り得もないように見えたソーネチカの精神世界が他のだれのより輝いていること、虚構と現実の区別もつかないほど文学を愛するソーネチカが、みずからの一生を舞台として見事に主役を演じ、美しく非凡な物語を織りあげたことに、心を打たれるだろう。

一方この作品を、政治的抑圧の厳しいソ連社会を生き抜いた知識人の物語と見なすことも、じゅうぶん可能である。ウリツカヤはあるインタビューで次のように言っている。

子供のときから、私はソ連的な社会意識というものが嫌でしかたありませんでした。私が惹かれるのは、ソ連的な人ではなく、ともかくそうした社会意識の外にいる人たち。病人

や老人、障害者、精神病の人など、今の言葉でいうアウトサイダーなんです。(「文学新聞」一九九五年九月二〇日)

ソーネチカの一家は、二重の意味でソ連社会のアウトサイダーである。ひとつには、夫ロベルトが自由を重んじ体制側には決して与しない覚悟の芸術家だからだが、もうひとつは、この夫婦がユダヤ人であるためだ。ウリツカヤにとって「ユダヤ人」は「家族」とならぶ重要なテーマである。『ソーネチカ』では、ロベルトが若い時にカバラーを研究していたというし、ソーネチカ自身は年とともに自分の内にユダヤ的なものを強く感じるようになる。もっとも、素朴なソーネチカは、自分たちが少数派の異端でいるよりほかないということを、はっきり自覚しているわけではなく、直感的になんとなく感じとっているだけなのだけれど。

ウリツカヤの作品には、この他にも、ユダヤ人の登場するものがかなりある。たとえば「一九五三年三月」という短編では、ユダヤ人というだけで同級生にいじめられる女の子が主人公で、民族友好を建前にしていたソ連社会に存在したユダヤ人差別が正面きって取りあげられている。おそらく現代ロシアの女性作家で、ウリツカヤほど大胆にユダヤのテーマを展開している人はいないのではなかろうか。作者自身ユダヤ人であることがこうしたテーマへの感度を高めていることは言うまでもないが、これらの作品の中で「ユダヤ人」は、社会から疎外されるアウトサイダーのシンボルとして機能していると考えることができるだろう。

＊

リュドミラ・ウリツカヤは、一九四三年、旧ソ連のバシキール自治共和国に生まれた。モスクワ大学ではもともと遺伝学を専攻し、卒業後、遺伝学関連の研究所に勤めたが、地下出版物《サミズダート》を読んでいたとの理由で仲間とともに研究所をやめさせられた。その後、子供をふたり育てながら、ユダヤ劇場でシナリオや広告を書くようになる。

　ここではイディッシュ語で芝居が上演されていたが、演出家も、俳優も、ウリツカヤも、だれひとりイディッシュ語を解する人はいなかった。それでもこの劇場がイディッシュ語を用いていたのは、ソ連にもユダヤ文化が存在するのだということを外の世界にアピールしようという使命感があったからだという。

　一九八二年にユダヤ劇場をやめてから、ウリツカヤは、子供劇場や人形劇場で仕事をし、やがて少しずつ小説を発表するようになる。小説家として名前が表に出るようになったのは、ペレストロイカの時期になってから、つまり四〇歳もだいぶ越えてからなので、決して早いスタートではなかったということになる。『ソーネチカ』を世に問うて以後のめざましい活躍ぶりは、先にご紹介したとおりだ。

　現在、モスクワに在住。夫アンドレイ・クラスーリンは彫刻家で、一九九九年秋に夫婦は、モスクワの中心マネージ広場にあるギャラリーでたいへん興味深い展覧会を開いている。ウリツカヤの『クコツキーの事例』の手書き草稿をグラフィックアートにしたものと、クラスーリン自身の彫刻を組み合わせたコラボレーションである。ウリツカヤはこの小説を書いている途中パソコンに切り換えたので、原稿を手で書くのはもうこれが最後だと考え、「手書き原稿が死んで、芸術作品として再生する」ところを表現したのだそうだ。

＊

さて、ロシア文学の世界にどっぷりひたって育ったソーネチカは、晩年ふたたびそこに回帰することになるが、ソーネチカの生みの親であるウリツカヤ自身の読書傾向はどんなだろうか。

ウリツカヤの好きな作家はプラトーノフ、ブーニン、パステルナーク。そして、一九六五年に初めてナボコフの『断頭台への招待』を読んだことが、一生の大転機になったという。当時、ナボコフはロシアでタブーだったが、この本をカナダの学生からもらい受けたウリツカヤは、ナボコフ作品を、「慣れ親しんだロシア文学の名作とはまったく異質でありながら、それらと同等の重みを持つ文学」だと思った、と話している。

ところで、ソーネチカの形象は、オシップ・マンデリシュタームの妻ナジェージダを髣髴させるところがある（マンデリシュタームはひじょうに優れた詩人で、スターリンを揶揄した詩を書いたかどで逮捕され、一九三八年に収容所で亡くなったが、のち一九七〇年、夫人が彼についてロシア文学史上に残る、忘れがたい回想録を書いている）。たとえば、ユダヤ人であるところ、驚くほど記憶力がいいところ、そして、絶対的な精神の自由を守ろうとする芸術家の夫を心から信頼し、全面的に支えたところである。

でも、それだけではない。本書『ソーネチカ』のクライマックスで、ソーネチカは、旧約聖書に出てくるヤコブの妻レアにたとえられている。ヤコブは古代イスラエルの族長で、姉のレアと妹ラケルの姉妹両方と結婚したが、「レアは優しい目をしていたが、ラケルは顔も美しく、容姿も優れて」（創世記、二九）おり、ヤコブはラケルを愛したとされる。じつはマンデリシュタームもまた、一九二〇年、妻となるナジェージダに宛てて書いた詩の中で、彼女をレアにたとえているのだ。

混沌の懐へ帰れ、
レアよ、おまえはそこからやって来たのだ、
（中略）
おまえは一人のユダヤ人を愛し、
彼の中に消えることになっているのだ――神のご加護を。
（中平耀『マンデリシュターム読本』群像社）

マンデリシュタームは、妻ナジェージダが自分を「愛し」、一生を捧げて自分の存在と一体化する（「彼の中に消える」）ことを願っている。それこそ、まさにソーネチカが実践したことではなかったか――ソーネチカはロベルトにすべてを捧げ、その存在を自分の存在と分かたず一体化していた。だからこそ、夫ロベルトを奪ったヤーシャのことも最後まで愛することがで

きたのではないだろうか……。
こうして、ソーネチカとロベルトの関係は、レアとヤコブを介して、ナジェージダとマンデリシュタームにぴたりと重ねあわせることができる。「ソーネチカ」という名前が「神の叡智」をあらわす「ソフィヤ」の愛称で、「ナジェージダ」が「希望」をあらわすことも、単なる偶然ではないような気がする。『ソーネチカ』がナジェージダ・マンデリシュタームをモデルにしているなどと言いたいわけでは、ぜんぜんない。ただ、この作品が、ロシア文学の最良の部分に連なり、自由と「希望」を志向する伝統に呼応していることを、祝福したいだけである。

＊

訳者からのたび重なる問い合わせにいつも丁寧な返事をくださり、励ましてくださった作者ウリツカヤに、この場をお借りして感謝いたします。また、出版に際してお世話になりました新潮社出版部の斎藤暁子さんにも、心よりお礼申しあげます。

二〇〇二年一〇月三日

沼野恭子

Сонечка

Людмила Улицкая

ソーネチカ

著 者

リュドミラ・ウリツカヤ

訳 者

沼野恭子

発 行

2002年12月20日

10刷

2017年 8 月25日

発行者　佐藤隆信

発行所　株式会社新潮社

〒162-8711 東京都新宿区矢来町71

電話 編集部 03-3266-5411

読者係 03-3266-5111

http://www.shinchosha.co.jp

印刷所

株式会社精興社

製本所

大口製本印刷株式会社

乱丁・落丁本は、ご面倒ですが小社読者係宛お送り下さい。
送料小社負担にてお取替えいたします。
価格はカバーに表示してあります。

ISBN978-4-10-590033-5 C0397

CREST BOOKS
Shinchosha

ペンギンの憂鬱

Смерть постороннего
Андрей Курков

アンドレイ・クルコフ
沼野恭子訳

憂鬱症のペンギンと売れない短篇小説家。
彼らにつぎつぎと起こる不可解なできごと。
見えない恐怖がささやかな幸福を脅かしはじめる……。
ミステリアスで不条理な世界を描く新ロシア文学。

CREST BOOKS